AUDREY CARLAN

CALENDAR GIRL

GIRL

Janvier

Ouvrage dirigé par Bénita Rolland
Traduit par Robyn Stella Bligh
Photo de couverture © GettyImages
Couverture : Raphaëlle Faguer

Pour la présente édition
© 2017, Hugo et Compagnie
34/36 rue la Pérouse
75116 Paris
www.hugoetcie.fr

ISBN : 9782755629095
Dépôt légal : janvier 2017
Imprimé au Québec

NEW ROMANCE®

AUDREY CARLAN

CALENDAR GIRL

Janvier

Roman

Traduit de l'américain
par Robyn Stella Bligh

Hugo ✛ Roman

CHAPITRE PREMIER

J'ai cru au grand amour pendant des années. J'ai même cru l'avoir trouvé – à quatre reprises, pour être précise.

Il y a eu Taylor, mon premier copain, avec qui je suis restée durant tout le secondaire. C'était la star de l'équipe de base-ball et le meilleur joueur de toute l'histoire du lycée. Il était grand, avec plus de muscle que de cervelle, et son kiki faisait la taille de mon petit doigt. Sans doute était-ce à cause des stéroïdes qu'il prenait derrière mon dos. Il m'a larguée le soir du bal de promo et s'est enfui avec ma virginité et la capitaine des pom-pom girls. À ce qu'il paraît, il a vite lâché la fac et il est désormais mécanicien dans une ville minuscule, avec deux gamins et une femme qui aguiche tous les hommes de la ville.

Ensuite, il y a eu l'assistant de mon prof de psychologie à la fac. Il s'appelait Maxwell et j'étais persuadée qu'il était le Messie et qu'il était capable de marcher sur l'eau. Cependant, c'est mon cœur qu'il a piétiné en couchant avec une fille dans chaque classe dont il était chargé. J'ai eu ma vengeance lorsqu'il a mis en cloque deux nanas en même temps et qu'il s'est fait virer de la fac. À dix-neuf ans, il versait deux pensions alimentaires à deux femmes différentes. La vie est bien faite, vous ne trouvez pas ? Dieu merci, j'ai toujours exigé qu'il sorte couvert avec moi.

À vingt ans, lorsque j'étais serveuse au MGM Grand à Las Vegas, j'ai eu la chance de rencontrer Benny, le troisième amour de ma vie. J'ai su trop tard que le pauvre avait aussi peu de chance que moi dans la vie. Benny était un tricheur amateur, or il m'avait dit qu'il était commercial et qu'il venait au casino parce qu'il adorait le poker. Pour moi, c'était le coup de foudre, même si finalement notre relation était loin d'être romantique. J'ai passé la plupart de notre histoire bourrée et allongée sous lui. Hélas, j'étais persuadée qu'il m'aimait. Après tout, il me le disait tout le temps. Pendant deux mois, nous avons bu, nagé dans la piscine de l'hôtel et baisé toute la nuit dans une des chambres que me procurait mon amie femme de ménage. Au bar, je lui servais, à lui et ses amis, des verres gratuits. Ça a marché – jusqu'à ce que ça ne marche plus.

Benny s'est fait prendre en train de compter les cartes et il a disparu du jour au lendemain. J'étais dans tous mes états, et cela a duré un mois. Puis j'ai appris qu'il s'était fait tabasser à mort – ou presque – et qu'il était à l'hôpital. Il a quitté la ville sans me dire au revoir.

Ma dernière erreur fut la cerise sur le gâteau – le pompon, la goutte d'eau qui m'a persuadée que le grand amour est une invention des fabricants de cartes de vœux et des auteurs de romans à l'eau de rose. Son nom était Blaine, mais il aurait pu s'appeler Lucifer. C'était un beau parleur et un homme d'affaires – en tout cas c'est ce que j'ai cru au début. En vérité, Blaine était usurier, c'est lui qui a prêté à mon père plus d'argent qu'il ne pourrait rembourser en une vie entière. Il s'est alors retourné contre moi, puis contre mon père. Pour moi, à l'époque, l'amour ne pouvait être que celui qu'on trouve dans les contes de fées. Blaine m'avait promis le paradis, il m'a donné l'enfer.

– C'est pour ça que tu devrais prendre le boulot que t'offre ta tante, comme ça, ce sera réglé, dit Ginelle, ma meilleure amie, avant d'éclater une bulle de chewing-gum dans le téléphone. C'est ta seule option, Mia. Sinon, comment tu vas sortir ton père de ce pétrin ?

Je sirote mon verre d'eau glacée en regardant les gouttes de condensation scintiller sous le soleil californien.

Je soupire :

– Je ne sais pas quoi faire, Gin. Je n'ai pas assez d'argent de côté – d'ailleurs je n'en ai pas du tout.

– Tu as toujours été amoureuse de l'amour...

– Plus maintenant !

Derrière Ginelle, j'entends le brouhaha du casino. Les gens pensent que le désert est un endroit calme, mais pas à Las Vegas, où les machines à sous tintent à toute heure du jour et de la nuit et où des jingles retentissent partout, où que vous soyez.

– Je sais, je sais, dit-elle. Mais tu aimes le sexe, n'est-ce pas ?

– C'est complètement différent, Gin.

– Je veux seulement dire que si tu acceptes ce boulot, tu as juste à te faire belle et à beaucoup baiser. Ça fait des mois que tu n'as pas pris ton pied, autant en profiter, non ?

Il n'y a que Ginelle qui soit capable de faire passer un job de call-girl de luxe pour un boulot dont tout le monde rêve.

– On n'est pas dans *Pretty Woman* et je ne suis pas Julia Roberts ! je m'exclame en me dirigeant vers ma moto.

C'est une Suzuki GSXR600 que j'appelle Suzi. Elle est la seule chose de valeur que je possède. Je grimpe dessus en mettant mon téléphone sur haut-parleur, puis je tresse mes longs cheveux noirs.

– Écoute, je sais que tu veux m'aider, mais je ne sais vraiment pas quoi faire. Je ne suis pas une pute et je n'ai pas envie de le devenir, je dis en frissonnant rien que d'y penser. Mais il faut que je trouve un million de dollars, et vite.

– Je sais. Appelle-moi ce soir, si tu peux, tu me raconteras ton entretien avec Escorts Exquises. Merde, je vais être en retard pour la répétition et je ne suis même pas en tenue.

Sa voix devient tendue, et je l'imagine en train de courir à travers le casino, téléphone plaqué à l'oreille, ne prenant pas garde à ceux qui la prennent pour une folle. C'est pour ça que j'adore Ginelle – elle dit les choses telles qu'elles sont et elle se fiche de ce qu'on pense d'elle. Comme moi.

Elle travaille pour le *Burlesque Doll Show*[1] à Las Vegas. Elle est petite, douce, et elle sait comment remuer son joli cul pour plaire aux hommes du monde entier qui viennent voir son spectacle. Hélas, Ginelle ne gagne pas assez d'argent pour me tirer d'affaire et aider mon père. Cela dit, je ne le lui aurais jamais demandé, quand bien même elle aurait eu les moyens.

– Ok, je t'aime ma p'tite salope, je dis en coinçant ma tresse sous mon blouson en cuir.

– Je t'aime encore plus, p'tite pute.

---

1. Le Show des Poupées Burlesques. (NdT, ainsi que pour les notes suivantes)

Je démarre ma moto et je la fais vrombir avant de mettre mon casque. Je glisse mon téléphone dans ma poche intérieure et je pars en direction d'un futur dont je ne veux pas, mais que je n'ai aucun moyen d'éviter.

* * *

– Mia ! Ma chérie ! s'écrie ma tante en me serrant dans ses bras maigres.

Elle est sacrément forte, pour une si petite femme. Ses cheveux noirs sont coiffés en chignon banane et sa chemise blanche est douce comme de la soie – probablement parce que c'est de la soie. Elle porte une jupe crayon noire très stricte et des talons aiguilles noirs avec cette semelle rouge que j'ai vue partout en feuilletant le dernier *Vogue*. Elle est magnifique et, plus encore, elle a l'air hors de prix.

– Tante Millie, ça me fait plaisir de te voir, je dis alors qu'elle lève deux doigts parfaitement manucurés pour me faire taire.

– Ici, tu m'appelleras Miss Milan, poupée, dit-elle.

Je lève les yeux au ciel et ça ne lui plaît pas non plus.

– Chérie, premièrement, ne fais pas ça. C'est impoli et ce n'est pas élégant.

Elle marche lentement autour de moi, m'étudiant comme si j'étais une œuvre d'art – une statue froide et impénétrable. Peut-être le suis-je. Elle tient dans sa main un éventail en dentelle noire qu'elle ouvre et referme avant d'en frapper la paume de sa main.

– Deuxièmement, ne m'appelle jamais Millie. Cette femme est morte il y a longtemps, le jour où le premier homme en qui elle a eu confiance a grillé son cœur au barbecue pour le donner à manger à ses chiens.

Beurk, quelle métaphore affreuse ! En même temps, Tante Millie a toujours été très directe.

– Tiens-toi droite, dit-elle en me tapant sous le menton pour me faire lever la tête.

Elle me frappe ensuite sur le bas du dos, là où mon t-shirt moulant et trop court ne rejoint pas tout à fait mon jean slim préféré. Je me redresse en poussant mes seins en avant.

Un sourire s'étend sur ses lèvres rouges, dévoilant des dents parfaitement alignées et blanches, les plus belles du marché. Car c'est un véritable business à Los Angeles. Lorsque les riches héritières ne sont pas chez leur dermatologue pour leur injection de Botox mensuelle, elles sont chez leur dentiste. À l'évidence, Tante Millie fait partie de ces femmes et elle a sans doute raison – elle est loin de paraître ses cinquante ans et elle est canon.

– Eh bien, tu es magnifique, ma poupée, et tu le seras encore plus quand on t'aura habillée pour la séance photo, dit-elle en grimaçant, tout en inspectant ma tenue de motarde.

Je fais plusieurs pas en arrière jusqu'à me cogner contre un fauteuil en cuir.

– Je n'ai pas encore dit que j'étais d'accord.

Le regard de Tante Millie est à la fois moqueur et exaspéré.

– Je croyais qu'il te fallait beaucoup d'argent et vite parce que mon minable beau-frère est à l'hôpital et qu'il a des ennuis ?

Elle s'assied lentement, croise les jambes et pose ses bras sur les accoudoirs en cuir blanc de son fauteuil. Tante Millie n'a jamais aimé mon père. C'est dommage, parce qu'il a fait du mieux qu'il pouvait pour nous élever seul après que sa sœur, ma mère, nous a abandonnés. J'avais dix ans, Madison en avait cinq, et aujourd'hui, elle n'a pas le moindre souvenir de notre mère.

Je me mords la lèvre et plonge mon regard dans ses yeux vert pâle. Nous nous ressemblons beaucoup, elle et moi. Si l'on oublie les petits coups de bistouri qu'elle a fait faire ici et là, elle est telle que je serai dans vingt-cinq ans. Nous avons les mêmes yeux vert clair, presque jaunes, devant lesquels les gens se sont émerveillés toute ma vie – comme de l'émeraude verte, disent-ils – et nos cheveux sont si noirs qu'à la lumière ils paraissent presque bleus.

– Ouais, papa a de gros ennuis avec Blaine, dis-je en essayant de me mettre à l'aise dans le fauteuil inconfortable.

Millie secoue la tête et je repense à mon père, le visage pâle et émacié, le corps couvert de bleus, immobile et sans vie sur son lit d'hôpital.

– Il est dans le coma, pour l'instant. Ils l'ont tabassé il y a quatre semaines et il ne s'est toujours pas réveillé. Les médecins pensent que c'est à cause des hémorragies au cerveau, mais on n'en saura pas plus avant un moment. Ils lui ont cassé tellement d'os qu'il a un plâtre des orteils aux clavicules.

– Quelle horreur, les sauvages ! chuchote-t-elle en remettant une mèche derrière son oreille.

C'est ainsi que Millie reprend le contrôle de ses émotions. Je l'ai déjà vue faire – elle est maîtresse dans l'art de la manipulation et elle contrôle ses émotions mieux que quiconque. Si seulement j'avais son talent !

– Oui, et la semaine dernière, quand je suis allée lui rendre visite à l'hôpital, les molosses de Blaine sont venus me voir. Ils ont dit que si je ne leur rendais pas leur argent avec les intérêts, ils allaient le tuer et qu'ils s'en prendraient ensuite à Maddy et à moi. Ils ont appelé ça la « dette du survivant ». Quoi qu'il en soit, il faut que je trouve un million de dollars.

Tante Millie se pince les lèvres et tapote ses ongles sur l'accoudoir. Comment peut-elle être aussi calme ? La vie d'un homme ainsi que la mienne et celle de ma petite sœur sont en jeu, bordel ! Je comprends qu'elle se fiche de papa, mais je pensais qu'elle tenait à Maddy et moi, bon sang !

Millie se lance.

– On peut y arriver, dit-elle enfin en plongeant son regard dans le mien. En tout cas, en un an, c'est possible. Tu penses qu'il accepterait que tu le rembourses un peu tous les mois ?

– Je ne sais pas. Je suppose que ce qui compte, c'est qu'il ait son argent, d'une manière ou d'une autre. On était ensemble il n'y a pas si longtemps, peut-être qu'il m'accorderait cette faveur. Ce psychopathe a toujours aimé me voir le supplier à genoux.

– Garde tes escapades sexuelles pour toi, poupée, dit-elle en souriant d'un air machiavélique. Il va falloir te mettre au boulot tout de suite. Je ne sélectionnerai que les comptes les plus chers. Sois ici aux aurores, demain, pour le shooting, et prévois de passer la journée avec nous. On fera d'abord les portraits, puis les vidéos, etc.

Tout va beaucoup trop vite à mon goût, mais les mots « on peut y arriver » résonnent dans ma tête comme une bouée de sauvetage dans un océan rempli de requins.

– Est-ce que… est-ce que je devrai coucher avec eux ?

Je ferme les yeux en attendant sa réponse et je sens soudain ses mains sur les miennes.

– Poupée, tu n'as pas à faire quoi que ce soit que tu ne veuilles pas. En revanche, si tu veux gagner du fric rapidement, tu devrais l'envisager.

Mes clients et moi avons un accord tacite. Si mes filles couchent avec eux, elles gagnent un bonus de vingt pour cent qu'ils laissent en cash dans leur chambre. Cet argent ne passe ni entre mes mains ni dans les comptes de la boîte, puisque la prostitution est illégale en Californie. Cependant, il est normal que mes filles soient dédommagées, tu ne penses pas ? demande-t-elle en me lançant un clin d'œil.

Je hoche lentement la tête, ne sachant pas vraiment ce que j'en pense, mais prête à foncer quand même.

– Tu travailleras au mois, c'est le seul moyen de gagner autant d'argent, dit-elle.

Elle a l'air si sûre d'elle que j'ai l'impression que le job va être facile, du moment que j'arrive à garder l'esprit ouvert.

– Tu rejoindras le client où qu'il soit, et tu joueras le rôle qu'il veut pendant un mois. Mais attention, ma poupée : je ne vends pas de sexe. Si tu couches avec eux, c'est parce que tu en as envie, et crois-moi, quand tu verras les hommes que j'ai sur liste d'attente, tu réfléchiras à deux fois avant de refuser – sans parler de la prime que tu gagneras.

Elle se lève en souriant, fait le tour du bureau et s'assied devant son ordinateur. J'ai l'impression d'être collée au fauteuil, incapable de bouger, accablée par le poids de toutes les questions qui se précipitent dans ma tête.

– Je vais le faire, je m'entends chuchoter.

– Bien sûr que tu vas le faire, dit-elle en souriant. Tu n'as pas le choix si tu veux sauver ton père.

* * *

Je comprends pourquoi elle m'a dit de prévoir la journée. Comme Sandra Bullock dans *Miss Détective*, j'ai été frottée, épilée, pelotée, brossée, à tel point que j'ai failli frapper l'esthéticienne que Millie a embauchée pour « m'arranger ». J'étais vexée qu'elle pense que j'ai besoin de tous ces soins. Cependant, lorsque je me suis regardée dans le miroir, j'ai failli ne pas reconnaître mon reflet. Mes longs cheveux noirs sont plus brillants que jamais et tombent en vagues parfaites dans mon dos et sur mes épaules. Chaque éclat de lumière illumine ma peau comme si elle était couverte de paillettes et le bronzage que je m'efforce d'avoir depuis que je suis arrivée en Californie a pris un ton de miel qui fait ressortir mes yeux verts. Elle m'a choisi une robe lavande à la fois confortable et chic, qui met en valeur mes atouts. Je suis sexy et élégante, comme un ange de mauvais augure sous l'objectif du photographe. Au bout d'un moment, j'ai même fini par faire la moue sans son aide et à regarder au loin sans exprimer la moindre émotion. C'est ainsi que je dois être à présent, apathique.

À la fin de cette interminable séance photo, je me dépêche de remettre mes vêtements habituels, c'est-à-dire un jean et un t-shirt moulant, et je retourne dans le bureau de Tante Millie – pardon, de *Miss Milan*.

– Ma poupée, les photos sont magnifiques ! J'ai toujours su que tu ferais un superbe mannequin, dit-elle en regardant son écran d'ordinateur.

Je fais le tour du bureau pour voir le résultat et j'en ai le souffle coupé. Je suis méconnaissable.

– Waouh. J'ai du mal à croire que c'est moi.

Je secoue la tête en regardant les photos charger sur le site d'Escorts Exquises.

– Tu es très belle, dit ma tante en souriant et en me regardant tendrement dans les yeux. Tu ressembles tellement à...

– Peu importe, dis-je en secouant la tête, ne voulant pas entendre que je suis le portrait craché de ma mère. Alors, c'est quoi la suite ? je demande en croisant les bras, comme si ça pouvait me protéger.

Elle recule dans son fauteuil et me regarde avec des yeux pétillants de malice.

– Tu veux voir ta première mission ?

Je fais de mon mieux pour ignorer l'appréhension qui s'empare de moi et je me redresse en la défiant du regard.

– C'est parti.

Millie glousse en cliquant sur sa souris pour afficher la photo de l'homme le plus beau que j'aie jamais vu. La photo est très business, mais ses cheveux blond foncé sont coiffés-décoiffés, avec des mèches plus claires. Ses yeux sont verts et sa mâchoire saillante avec l'ombre d'une barbe naissante. Il est à croquer. Cet homme n'est pas le genre à devoir payer pour une femme, au contraire, c'est le genre dont toutes les femmes tombent amoureuses dès le premier regard.

– Je ne comprends pas pourquoi ce beau gosse a besoin d'une escort ? je demande en pointant la photo du doigt.

Ma tante se recule dans son fauteuil, joint les mains sur ses cuisses et me regarde en souriant.

– Tu sais, c'est lui qui t'a choisie.

Je dois sembler perdue, parce qu'elle se dépêche de poursuivre.

– J'ai envoyé tes premières photos à lui et sa mère, avec qui je travaille beaucoup. Il enverra une voiture te chercher demain matin. Il habite dans le coin, mais tu vivras chez lui pendant les prochains vingt-quatre jours.

J'ai l'impression d'avoir été frappée à la tête avec une batte de base-ball.

– Vingt-quatre jours ? Tu es folle ? Comment je suis censée travailler et aller à des castings ?

Ma carrière d'actrice est loin d'être au top, mais j'ai un agent bon marché qui me déniche des auditions de temps en temps, et puis il y a le restaurant où je travaille le soir !

Millie me regarde en se pinçant les lèvres et en retroussant son nez comme s'il venait de me pousser un troisième œil sur le front.

– Mia, tu vas démissionner de tous tes boulots. Tu es désormais une employée d'Escorts Exquises et tes engagements iront de un à vingt-quatre jours, selon les besoins du client. Comme tu dois gagner beaucoup d'argent en peu de temps, tu n'as d'autre choix que de prendre les contrats les plus longs. Au bout de vingt-quatre jours, tu auras jusqu'à la fin du mois pour rentrer chez toi, te reposer et te refaire une beauté. À chaque début de mois, tu seras envoyée sur une nouvelle mission.

– Je n'arrive pas à y croire...

Je fais les cent pas dans le bureau, comme un animal en cage, réalisant soudain que ma vie ne m'appartient plus, du moins pendant les douze mois à venir. Finis les rencards – même si cela fait une éternité que je n'en ai pas eu – et finies les auditions et ma carrière d'actrice, si tant est que l'on puisse parler de carrière. Je n'aurai plus le temps de voir ni papa, ni Maddy, ni Ginelle.

– Eh bien crois-le, mon petit, parce que ce n'est pas une blague. Si tu en es là, c'est à cause de ton père et de ton ex. Tu as de la chance que je te libère de la place, alors ne sois pas ingrate. Maintenant assieds-toi et ferme-la ! ordonne-t-elle d'une voix froide.

– Je suis désolée.

Je sais qu'elle essaie de m'aider, c'est juste que c'est trop... rapide. C'est incroyable. Je me laisse tomber sur la chaise devant son bureau et je me prends la tête dans les mains. Je réalise que je suis désormais une femme à louer. Chaque mois, je serai avec un nouvel homme. Si je couche avec lui, j'aurai un bonus de vingt pour cent en liquide.

J'éclate de rire, puis je lève la tête et regarde le plafond. Quelques secondes passent et une détermination s'empare de moi peu à peu. C'est ce que je dois faire. Je vais laisser un beau gosse m'emmener à des dîners d'affaires ennuyeux, et je ferai ce qui lui passera par la tête. Je ne suis pas obligée de coucher avec lui, et surtout, je ne vais pas tomber amoureuse de lui. En changeant de mec tous les mois, je n'aurai pas le temps de tomber amoureuse comme j'en ai eu l'habitude par le passé. Et puis je ne suis pas obligée d'abandonner ma carrière – après tout, quel meilleur moyen de progresser qu'en incarnant ce que ces hommes veulent que je sois ? Chaque mois, je deviendrai quelqu'un d'autre, et mon père sera en sécurité.

J'inspire lentement et je me lève en tendant la main à ma tante. Son sourire est diabolique mais sexy – elle est vraiment faite pour ce travail.

– Très bien, *Miss Milan*, dis-je en insistant sur son faux nom pour qu'elle comprenne ma détermination. Je suis votre nouvelle Calendar Girl.

CHAPITRE 2

Weston Charles Channing III. Je lis et relis son nom en me demandant quel genre de personne trouve normal d'avoir un chiffre romain rattaché à son nom. Je parie que c'est un mec plein aux as dont la pauvre mère n'en peut plus d'être ridiculisée par les pimbêches qu'il ramène aux soirées mondaines. En tout cas, selon moi, c'est la seule raison qui expliquerait pourquoi un mec aussi beau a besoin d'engager une escort. Je feuillette les pages et je trouve la liste des règles que Miss Milan m'a données à lire hier soir.

1. Toujours être apprêtée. Le client ne doit jamais vous voir démaquillée et décoiffée. Vos ongles doivent toujours être manucurés et vos vêtements repassés.

Le client vous procurera la garde-robe de son choix. Vos mensurations et vos préférences ont été communiquées à sa styliste personnelle.

Je lève les yeux au ciel en étudiant mon immense pile de jeans. Waouh, ces gens ne savent vraiment pas quoi faire de leur argent pour avoir une styliste personnelle. Est-ce si difficile de choisir ses vêtements ? Et mes mensurations lui ont été fournies ? Super ! Maintenant, il sait que j'ai besoin de perdre quelques kilos. J'ai l'avantage d'être grande et d'avoir l'air plus mince que je ne le suis, mais je sais que ma tante aime que ses filles fassent du trente-quatre. Or, je suis plutôt du côté du trente-huit, voire du quarante, si je ne fais pas attention à ce que je mange. Dans le milieu du mannequinat, c'est sans doute l'équivalent du XXL.

Il t'a choisie, me rappelle une petite voix dans ma tête alors que je range mes objets fétiches dans un petit sac à dos : mes crèmes, mon maquillage, mon parfum, mon Kindle, mes bijoux préférés. Tout ça est sans valeur, mais ça m'appartient et j'ai besoin de rester moi-même. J'emporte également mon journal intime tout neuf. J'ai pensé que comme cette expérience va durer une année, j'allais en profiter pour noter certaines choses. Peut-être qu'un jour j'en ferai un film.

Je jette mon sac sur l'énorme fauteuil qui prend la moitié de mon studio et je reprends la lecture des consignes.

2. Souriez tout le temps. *N'ayez jamais l'air ni en colère ni triste, et de manière générale, ne montrez pas d'émotion négative. Les hommes ne paient pas pour gérer vos problèmes. Ils paient pour ne pas avoir à le faire, justement.*

Ok, pas d'émotion. Aucun souci. Je m'y suis déjà préparée psychologiquement après avoir accepté ce job.

3. Ne parlez que si vous y êtes invitée. *Vous êtes là pour être belle et charmante. Avant toute apparition publique, discutez de votre rôle avec le client afin de vous mettre d'accord.*

Ça va, j'ai compris ! Tu es là pour être sa Barbie. Capiche. Facile.

4. Soyez disponible à tout moment. *Si le client souhaite rester à la maison, vous y resterez avec lui. Soyez respectueuse, polie et suivez ses directives. S'il cherche de la compagnie, vous pouvez lui proposer un câlin. Le sexe n'est pas requis.*

Elle veut que je fasse un câlin au client quand il veut baiser ? J'éclate de rire en imaginant la scène. « Salut beau gosse, tu veux des papouilles ? »

5. Le sexe avec les clients n'est pas inclus dans le contrat. *Si vous choisissez de le proposer, cela relève de votre choix, et la société Escorts Exquises ne peut être tenue pour responsable. Toutefois, nous exigeons que nos escorts soient sous contraceptif, quelle que soit la forme, et nous pouvons en demander la preuve à tout moment. Un test sanguin peut être exigé.*

D'où elle sort ces âneries, bon sang ? Sans rire ! Elle pense vraiment que beaucoup de femmes voudraient tomber enceintes d'un homme qu'elles viennent de rencontrer ? Aaaaah, mais oui, je viens de comprendre. Il s'agit d'hommes riches et de femmes stupides. Eh bien, je ne fais pas partie de ces femmes. Dès que mon père sera en sécurité et que sa dette sera payée, ma vie redeviendra normale, même si elle ne l'a jamais vraiment été.

Un coup d'œil à mon radioréveil me dit qu'il est l'heure de partir. Millie voulait que je me rende chez le client dans une de ses limousines, mais je lui ai promis que je m'y rendrais par mes propres moyens. C'était une de mes conditions. Elle pense bien sûr que je vais y aller en taxi, mais j'ai décidé de prendre ma moto. Si la première mission se passe bien, j'accepterai que les prochains clients viennent me chercher chez moi.

Vêtue de mon jean noir le plus sexy et d'un t-shirt assorti, j'enfile mon perfecto en cuir et mes cuissardes. Je sais que Millie me tuerait si elle me voyait habillée ainsi, mais j'ai envie de surprendre Weston Charles Channing III.

Le message arrive enfin.

À : Mia Saunders
De : Numéro inconnu
J'ai hâte de vous rencontrer. El Matador Beach, près des marches qui mènent à la plage. À très vite.

Un peu mystérieux, vous ne trouvez pas ? Il me demande de le retrouver à la plage à huit heures du matin ? Je me dépêche de demander à Siri les instructions pour m'y rendre. El Matador Beach est à dix kilomètres au nord-est de Malibu, à une heure de route de chez moi. Je regarde mon studio une dernière fois et je me dis que je l'ai rendu aussi douillet que possible. C'est un trente mètres carrés des plus banals où le futon que j'ai acheté cinquante dollars au vide-grenier du coin me sert de canapé et de lit, mais je n'ai pas les moyens de louer plus grand. Les murs sont d'un beige doux, et même si les meubles sont loin d'être assortis, l'ensemble est plutôt mignon.

C'est le premier appartement où je me suis sentie chez moi et, maintenant, je dois le quitter. Je vide la bouteille d'eau posée sur la table dans le bambou qui est censé porter bonheur. S'il a de la chance, il survivra. Au moment où je passe la porte de chez moi, je me rends compte de tout ce que cette pauvre plante et moi avons en commun. J'espère que, moi aussi, je survivrai en son absence.

* * *

Les gravillons du parking crépitent sous les roues de Suzi. Je m'arrête devant la rambarde surplombant le vide et j'aperçois les marches qui mènent à la petite plage isolée. Il n'y a qu'une seule voiture garée sur le parking – sans doute parce que nous sommes lundi et qu'à huit heures du matin, les gens sont à leur boulot. Je trouve un peu étrange de rencontrer mon client ici, mais au fond, cela me plaît. La vue est magnifique. Les vagues bleues se cassent sur le rivage en formant des nuages blancs qui s'éparpillent en s'écrasant sur le sable. Depuis que j'ai emménagé à Los Angeles il y a six mois, je ne suis allée à la plage qu'une seule fois. Je suis venue ici pour percer dans le milieu du cinéma, pas pour la baignade. D'ailleurs j'aurais pu aller n'importe où – je voulais surtout quitter Las Vegas aussi vite que possible. Dans ma tête, l'océan était l'opposé de la sécheresse du désert de Vegas, et c'est ce contraste qui m'a plu.

J'aperçois un surfeur au loin, seul dans les vagues, et je le regarde glisser sur les rouleaux comme un pro. Je ne vois personne d'autre sur la plage, et en dehors de Suzi et de la Jeep, le parking est vide. Peut-être qu'il n'est pas encore arrivé ?

Le surfeur prend une vague qui l'amène jusqu'à la plage et il descend tranquillement de sa planche. Il doit venir souvent ici ou être prof ? Pourtant, je ne vois pas de cabanon indiquant qu'il y aurait une école dans le coin. L'homme secoue la tête pour s'ébrouer et il détache la leash qui relie la planche à sa cheville. Je suis trop loin pour distinguer ses traits, même lorsqu'il regarde dans ma direction. Je relève la visière de mon casque pour mieux le voir au moment où il défait sa combinaison, révélant une masse mouillée, épaisse et bronzée, de muscles exquis. Il dégage le haut de son corps de la combi et la laisse pendre à sa taille, puis il prend sa planche et remonte la plage en trottinant.

Fascinée, je le regarde approcher en reluquant ses pectoraux angulaires et ses abdos sculptés, je salive en remarquant les grains de sable collés sur sa peau à l'endroit où le V de son bassin disparaît dans sa combinaison. Je me demande quel goût aurait sa peau si je la léchais...

Je suis soudain victime d'une grosse bouffée de chaleur quand il gravit les marches. Mon cœur martèle dans mes oreilles et j'ai l'impression que c'est l'océan qui rugit dans mon casque – comme quand vous êtes en voiture et que quelqu'un ouvre une fenêtre.

Lentement, j'enlève mon casque et secoue la tête pour libérer mes cheveux. Je retiens mon souffle lorsque le surfeur s'arrête en haut des marches et me fixe avec des yeux intenses et avides. Ses cheveux trempés gouttent sur ses épaules avant de ruisseler sur un torse digne d'une statue grecque. Il me reluque de bas en haut, s'arrêtant sur ma poitrine avant de croiser mon regard.

– Quelle belle surprise ! dit-il en souriant.

– Quelle surprise, en effet ! je réponds en me léchant les lèvres.

Il se dirige vers la Jeep grise et je me dis que ce n'est pas une voiture très chère pour quelqu'un qui est prêt à dépenser cent mille dollars pour vingt-quatre jours avec moi. Cela dit, celle-ci n'a pas de toit, ce qui lui permet d'y mettre sa planche de surf sans problème. Est-ce que c'est léger, une planche de surf ? Je ne le pensais pas, mais à le voir faire, ça semble plus léger qu'une plume. Il cale la planche à l'arrière de sa voiture et je frissonne en voyant ses biceps se contracter. Il doit mesurer plus d'un mètre quatre-vingts et il a le corps d'un nageur qui fait quelques heures de musculation par semaine.

– Vous êtes Mia ?

Je descends de ma moto et me dirige vers lui en prenant soin de me déhancher. Son regard pétillant me dit qu'il apprécie.

– C'est bien moi. Vous êtes Weston Charles Channing troisième du nom ? je réponds en levant trois doigts.

Il rit doucement en s'adossant à sa Jeep, m'offrant une vue encore plus attirante de son torse nu. Merde, il est magnifique.

– Trois, répond-il en imitant mon geste. Mes amis m'appellent Wes.

– Et... sommes-nous amis ? je demande d'une voix moqueuse.

– Je l'espère, Mademoiselle Mia, répondit-il en me faisant un clin d'œil.

Il me tourne le dos pour fouiller dans sa Jeep et en sort un t-shirt blanc. Il l'enfile, recouvrant son corps splendide, et je suis à deux doigts de le remercier, car la Barbie en moi disparaît pour laisser mon cerveau reprendre sa place.

– Vous êtes prête ? demande-t-il.

– Je suis à vos ordres, après tout c'est vous qui payez, je réponds en souriant.

Wes me regarde de nouveau de haut en bas, puis il secoue la tête.

– J'aurais bien proposé de vous emmener, mais vous êtes déjà véhiculée, on dirait.

– En effet. Je vous suis.

* * *

Le temps que nous arrivions à sa maison de Malibu, ma libido est de nouveau sous contrôle, même si je pense qu'il n'en faudra pas beaucoup pour qu'elle redémarre au quart de tour. Le portail s'ouvre, et je suis la Jeep le long d'une allée qui serpente jusqu'à sa maison. Ce n'est pas tout à fait un chalet, mais son architecture est plutôt montagnarde. Elle est en pierre, avec des poutres apparentes, et les arbres qui l'entourent la dissimulent pour partie.

J'enlève mon casque et nous gravissons les marches en pierre. La porte d'entrée n'est pas fermée à clé – peut-être les hauts grillages et les portails qui clôturent les propriétés de Malibu suffisent-ils à protéger leurs habitants. Ou peut-être y a-t-il des vigiles cachés dans les fourrés.

Nous pénétrons dans une immense pièce avec un parquet en merisier. D'épais tapis de couleur, rustiques, s'étalent un peu partout, et les canapés rouge bordeaux ont l'air si moelleux que j'ai envie de me jeter dessus. Tous les murs ont des baies vitrées, sauf celui où est fixé un gigantesque écran télé. Il y a une bibliothèque pleine de DVD et de livres, des cadres et des œuvres d'art partout, et une quantité impressionnante de plantes. Je ne m'attendais pas à ça chez un homme aussi jeune, et je prends note de lui demander son âge ainsi que son métier – il faut être brillant ou avoir hérité d'une fortune pour avoir une aussi belle baraque.

– Cette maison est incroyable, je dis en sortant sur le balcon en bois et en découvrant la vue sur les collines.

Je vis dans le centre de Los Angeles et je n'ai guère l'occasion de voir de tels paysages.

Wes sourit et prend ma main. La sienne est chaude, douce et confortable.

– Venez, je vais vous montrer pourquoi j'ai acheté cette maison.

Il me guide le long du balcon qui entoure la maison, et lorsque nous arrivons de l'autre côté, la vue me coupe le souffle.

– Waouh...

Il serre ma main plus fort et je frissonne. Je suis face à l'océan Pacifique, et j'ai l'impression que rien ne m'en sépare – que je pourrais plonger depuis le balcon dans les vagues bleues et blanches. Wes se rapproche de moi et pointe du doigt une petite plage nichée entre deux falaises.

– Là-bas, c'est El Matador Beach, chuchote-t-il.

Il est si près de moi que son souffle chatouille mon cou.

– C'est…

Je ne trouve plus mes mots.

– Incroyable, je sais, dit-il comme s'il découvrait la vue.

Je suis touchée qu'il continue d'être émerveillé par la vue alors qu'il l'a tous les jours sous les yeux. Peut-être n'est-il pas un petit héritier qui pense que tout lui est dû, finalement.

– Maintenant, j'aimerais qu'on se tutoie. Après tout, on va passer les prochains vingt-quatre jours ensemble. Viens, je vais te montrer ta chambre, annonce-t-il.

Nous passons devant d'innombrables pièces dont je n'aperçois que brièvement l'intérieur. Je suis surprise qu'il continue de me tenir la main, mais je ne dis rien, car ça me plaît – je me sens en sécurité et ça fait des années que je n'ai pas ressenti ça.

Il finit par me lâcher pour ouvrir une double porte en chêne massif.

– Voilà ta chambre, dit-il en souriant.

La pièce est totalement blanche. Tout est blanc : les meubles, le linge de lit, même les œuvres d'art aux murs, qui sont dans divers tons de blanc avec de minuscules éclats de couleur. Le contraste avec les couleurs riches du reste de la maison est si frappant que je fronce les sourcils sans m'en rendre compte.

– Tu n'aimes pas ? demande-t-il, l'air déçu.

Il entre dans la chambre et ouvre une autre porte donnant sur un dressing plein de vêtements de couleurs vives. Voilà qui est mieux. Je pourrai emménager dans le dressing si le blanc m'énerve – ce qui est sûr, c'est qu'il est assez grand.

– C'est magnifique, merci, je dis en allant m'asseoir sur le lit. Alors, explique-moi ce que je fais ici.

Il s'assied sur un fauteuil et inspire lentement. Il pose son coude sur l'accoudoir et promène ses doigts sur son menton.

– C'est ma mère, dit-il comme si ça expliquait tout. Je suis invité à plusieurs événements à la fois professionnels et personnels durant les prochaines semaines. En y allant avec toi, je n'aurai pas à me soucier des croqueuses de diamants qui ont l'habitude de se jeter sur moi, et je pourrai rencontrer les personnes qui m'intéressent.

– Donc, il te faut une garde du corps pour éloigner les vautours qui te tournent autour ? je demande en riant.

Je croise les jambes et j'enlève mes cuissardes, Wes hoche la tête en me regardant faire. Je remue les orteils pour les dégourdir et je comprends pourquoi il sourit jusqu'aux oreilles. J'ai oublié que j'avais mis mes chaussettes de Noël, aujourd'hui. Elles sont rayées vert et rouge et elles m'arrivent au genou. Si ça, ce n'est pas un faux pas... J'ai sans doute enfreint une des règles de Millie avec mes affreuses chaussettes. Je me mords la lèvre et je lève les yeux vers Wes qui continue de sourire.

– Je me suis habillée dans le noir, dis-je sur la défensive.

– Je vois ça, dit-il en riant. Je trouve ça chou.

– Chou ? Tu sais qu'aucune fille de plus de cinq ans n'a envie d'être décrite comme chou ? je lui lance en fronçant les sourcils. Eh bien, tant pis pour toi, mon pote. Tu l'as dit toi-même, je suis là pour vingt-quatre jours. Je ne suis ni reprise ni échangée ! je m'exclame en me levant et en posant mes mains sur mes hanches.

Il recule dans son fauteuil et croise ses jambes au niveau des chevilles. Mince, je n'avais pas vu ses pieds ! Ils sont longs et fins, et il y a de petits grains de sable collés sur le dessus. Je ne sais pourquoi, c'est ce qui réveille brusquement ma libido – c'est injuste, même ses pieds sont sexy.

– Détends-toi, Mia. J'ai dit que tes chaussettes étaient chou, je n'ai pas parlé de toi. Tu es sans doute la femme la plus belle et séduisante que j'aie jamais vue. J'ai hâte de te voir nue, dit-il en souriant.

J'inspire lentement puis je retiens mon souffle lorsqu'il se lève. Nos yeux ne se quittent pas et j'ai l'impression que nous passons des heures à nous regarder.

– Euh... eh ben... je suis contente que tu me trouves suffisamment jolie pour être ici. Comme je l'ai dit, je suis là pour un mois et... attends. Je te demande pardon ? Tu as hâte de me voir nue ? Ce n'est pas inclus dans le contrat !

– Je sais parfaitement que ce n'est pas dans le contrat, répond Wes en venant vers moi.

Il passe sa main dans mon dos et me plaque contre lui. Je retiens mon souffle et pousse un cri aigu en sentant une très grosse érection contre mon ventre. Ses yeux se promènent sur mon visage et il est si près que son souffle chatouille mes lèvres.

– Crois-moi, si tu te mets à poil pour moi, ce ne sera pas parce que je te paie, dit-il avant de déposer un minuscule baiser sous mon oreille.

Je reste parfaitement immobile alors que des décharges de désir enflamment mes veines. Chacun de mes nerfs est sur le qui-vive, attendant que Wes me touche de nouveau. Sa mâchoire râpe ma joue, déclenchant une nuée de frissons qui se précipitent entre mes jambes.

– Tu te déshabilleras pour moi quand tu seras prête, chuchote-t-il avant de presser ses lèvres sur les miennes.

Il recule la tête et je découvre son regard brûlant.

– Je vais travailler dans mon bureau, maintenant. Fais comme chez toi, tu peux bronzer, te baigner...

comme tu veux. Il faut que tu sois en robe de soirée à dix-sept heures pétant. Nous avons un cocktail dînatoire, ce soir.

Il effleure une dernière fois ma hanche, puis il tourne les talons et disparaît, laissant sur ma peau son empreinte brûlante.

Merde. Ça ne va peut-être pas être si simple, finalement.

CHAPITRE 3

Je fais quelques longueurs dans la piscine chauffée et je peaufine mon bronzage. Weston, ou Wes, n'a toujours pas réapparu. Je l'imagine travailler derrière une de ces portes fermées devant lesquelles je suis passée.

Je viens de sortir de l'eau lorsqu'une petite femme rondelette, vêtue d'un pantalon vert kaki et d'un pull noir, arrive avec un plateau. Je cherche vite ma serviette avant de me rappeler que je n'en ai pas pris, et elle sourit en allant à un grand panier en osier dont elle extirpe une immense serviette de plage multicolore.

– Tenez, mon petit, dit-elle avec un adorable accent britannique.

Elle me fait penser à Mary Poppins, mais avec des cheveux poivre et sel et quelques kilos en plus.

– Bonjour, je suis Mia, dis-je en m'enveloppant dans la serviette pour cacher mon minuscule bikini rouge.

Il y en avait d'autres, mais ils étaient tous aussi petits les uns que les autres, alors j'en ai choisi un au hasard.

Mary Poppins sourit en me tendant sa petite main.

– Je suis Miss Croft. Je m'occupe de la maison, je cuisine, je fais le ménage et tout le reste, dit-elle.

Je hoche la tête en essorant mes cheveux avant de les relever en queue-de-cheval.

– Je voulais vous apporter à manger, me présenter et vous dire que si vous avez besoin de quoi que ce soit, il vous suffit d'appuyer sur le bouton *Aide* de l'interphone. Il y en a dans toutes les pièces.

En effet, elle désigne un interphone sur le mur du patio.

– Chaque jour, je vous donnerai un planning avec le programme de monsieur Channing pour que vous sachiez à quelle heure vous devez être prête. Je pourrais le glisser sous votre porte, le matin ?

Je hausse les épaules. Miss Croft me plaît. Comme elle, je suis une employée – la différence, c'est que je suis embauchée pour être jolie et faire peur aux pimbêches. Chacune sa mission.

– Comme ça vous arrange, je ne suis pas difficile.

Miss Croft me regarde des pieds à la tête et penche la tête sur le côté en souriant.

– J'ai l'impression que vous êtes tout sauf facile, mon petit, dit-elle en me faisant un clin d'œil. On devrait s'amuser, ajoute-t-elle en tournant les talons avant de disparaître dans la maison.

Qu'est-ce qu'elle a voulu dire ?

Peu importe. Je regarde de nouveau le superbe environnement et je me dis que c'est de l'argent facile. Le mec est canon, je ne vais pas tomber amoureuse de lui, la maison est sublime et j'ai une tonne de nouvelles fringues. Pour l'instant, c'est le plan du siècle.

Par la porte ouverte, je vois l'horloge de la cuisine. J'ai une heure et demie pour me préparer avant que mon surfeur beau gosse et plein aux as m'emmène dîner.

Je vais lui en mettre plein la vue.

* * *

Monsieur Channing frappe une fois à ma porte et entre sans que je l'y aie invité. *Note à moi-même : habille-toi dans le dressing ou dans la salle de bains si tu ne veux pas te donner en spectacle devant ton boss.* Quelque chose me dit que ça ne le dérangerait pas du tout. En tout cas, c'est ce que je lis dans son regard lorsqu'il m'inspecte des pieds à la tête. De son côté, le spectacle n'est pas mal non plus.

Il est en costume noir et sa chemise blanche n'est pas boutonnée jusqu'en haut, laissant entrevoir un beau cou musclé et viril. Il est tout simplement délicieux. Il me présente trois cravates tout en étudiant ma tenue.

Je porte une robe aubergine qui tombe en deux pans sur mes seins, et le milieu est ouvert pour révéler un maximum de décolleté. Les pans se croisent sur ma taille, laissant voir mes hanches, et le dos est entièrement nu. Des colliers de perles suivent les mouvements de la robe et tombent dans mon dos jusqu'au creux de mes reins. Je n'ai jamais porté de robe aussi élégante, sexy et chère. J'ai l'impression d'être Elizabeth Taylor dans une de ses pubs pour les diamants. Le dos nu ne permet pas de porter de soutien-gorge, mais la robe est si bien faite qu'elle tient bien mes seins en place, même si j'ai une poitrine plutôt généreuse. Ça fait longtemps que je n'ai pas été et que je ne me suis pas sentie aussi belle.

– Waouh, dit Wes. Euh... laquelle ? demande-t-il en levant les trois cravates et en se raclant la gorge.

Je souris, ravie de surprendre un homme habitué à repousser des hordes de belles femmes. Je m'en sors plutôt bien pour une petite motarde, non ?

Ses cravates sont jolies et il y en a une qui va mieux avec ma robe. Cependant, au lieu de la lui prendre, je saisis le col de sa chemise et le sors pour qu'il repose sur sa veste.

– Je te préfère sans cravate. Tu es canon.

Après tout, je n'ai pas de raison de mentir, il est superbe.

Il dégaine un sourire si sexy que je mouille légèrement. S'il continue comme ça, je vais lui sauter dessus. Comme me l'a si gentiment rappelé Ginelle l'autre jour, ça fait des mois qu'un homme ne m'a pas touchée. Ce qu'elle ne sait pas, c'est qu'en vérité ça fait presque un an. Après Blaine, j'en ai eu assez des mecs et je me suis persuadée que je pouvais vivre sans eux si j'avais un bon vibromasseur et suffisamment de glace au chocolat. Maintenant, face à cet Apollon, je ne suis plus certaine que le célibat ait été une bonne idée, parce que je suis prête à lui arracher ses vêtements.

– Ma mère n'apprécierait pas, chuchote-t-il en saisissant mon poignet pour me tirer à lui.

Je vacille légèrement sur les talons aiguilles que sa styliste a choisis et je tombe sur lui. Je me raccroche à son torse, sentant ses muscles d'acier à travers son costume.

Il baisse les yeux tandis que je lève les miens. Je le défie du regard.

– Tu fais toujours ce que te dit ta maman ?

Il éclate de rire et le vert de ses yeux devient encore plus intense. Je pourrais me perdre dans son regard pendant des jours entiers.

– Non, mais c'est elle qui organise le cocktail ce soir, et j'aime lui faire plaisir, répond-il avant de baisser sa tête dans mon cou. Waouh, tu sens divinement bon.

Ses lèvres effleurent ma mâchoire.

Des frissons parcourent mon corps depuis la racine de mes cheveux bouclés à la pointe de mes pieds.

– Et tu es magnifique, ajoute-il en m'embrassant sur le coin de la bouche.

Je me retiens de grogner, frustrée de ne pas sentir ses lèvres sur les miennes. Cependant, ça fait sans doute partie de son jeu de séduction, un jeu pour lequel il est doué, à l'évidence.

– On devrait y aller, je chuchote.

Wes sourit, prend ma main et tourne les talons en me tirant derrière lui, me laissant à peine le temps de saisir la pochette qui contient mon téléphone, mon rouge à lèvres et ma carte d'identité.

Miss Croft nous attend dans l'entrée, une poignée de mouchoirs de poche dans la main. Elle regarde ma robe, choisit celui qui y est assorti et s'affaire à le glisser dans la poche de la veste de Wes.

– Et voilà, dit-elle en lissant son costume. Tu es splendide, mon garçon.

Ses yeux brillent comme si elle préparait son propre fils pour son bal de promo. Je trouve ça un peu bizarre, mais je n'en dis rien et je la regarde nouer la cravate de Weston.

– Merci, Judi, dit-il avant de l'embrasser sur la joue.

Il me regarde de la tête aux pieds avant de rediriger son attention sur sa gouvernante.

– La robe est parfaite, dit-il avant de me mener à la limousine garée devant la maison.

C'est Judi qui a acheté mes vêtements ? Toutefois, je n'ai pas le temps de m'attarder sur ce point car je suis face à la limousine la plus longue que j'aie jamais vue.

– Tu es déjà montée dans une limousine ? demande Wes en me regardant d'un air amusé.

La réponse est non, bien évidemment, mais je refuse de le lui dire.

– Bien sûr, je dis en ouvrant la portière.

Wes met sa main sur sa bouche en riant et je grimace, ne comprenant pas la blague.

– Alors pourquoi tu veux à monter à l'avant ? demande-t-il en désignant la porte que je viens d'ouvrir.

Je regarde à l'intérieur et je vois le volant du conducteur. Lorsque je me redresse, je réalise qu'un homme en uniforme de chauffeur tient la portière arrière ouverte.

– Je le savais, je voulais simplement demander au chauffeur où nous allons, dis-je en me sentant rougir.

– Mais bien sûr, dit-il en posant une main sur le creux de mes reins pour m'accompagner.

Une fois à l'intérieur, il me propose une coupe de champagne que j'accepte volontiers.

– Merci.

Il sourit et se verse une coupe, puis nous trinquons.

– À quoi trinquons-nous ?

– À l'amitié ? répond-il en souriant avant de poser sa main chaude bien trop haut sur ma cuisse pour que nous puissions parler d'amitié. Aux bons amis, ajoute-t-il en regardant ma bouche.

– Des amis qui se veulent du bien ? je demande en haussant un sourcil.

Je croise les jambes et sa main remonte sur ma cuisse. Il plonge son regard dans le mien et mon sang s'embrase.

– Bon sang, je l'espère, chuchote-t-il en approchant son visage.

Je me dépêche de boire une gorgée de champagne, à la fois pour stopper le cours de cette conversation et pour éviter de devenir folle.

Wes recule dans son siège, grogne et remet son érection en place – pas très subtil. Lorsque je glousse ouvertement, il me fusille du regard puis il secoue la tête en souriant. Ce jeu du chat et de la souris va me plaire – même si je ne sais pas encore qui est le chat et qui est la souris.

La villa où se tient le cocktail est dans les Malibu Hills, près de chez Wes. Elle est immense et remplie de gens en tenue de soirée, des verres à la main. La plupart des femmes semblent avoir mon âge, ce qui est étrange car ce n'est pas le cas des hommes.

– Tu fais quoi dans la vie, en fait ? je chuchote en le suivant au bar.

Je ne réalise que maintenant que je ne sais rien de ce que je suis censée faire ce soir, à part éloigner les pimbêches hollywoodiennes.

– Je suis scénariste, dit-il l'air de rien, en attendant que le barman nous remarque.

Je trouve un peu prétentieux d'avoir un véritable bar chez soi, mais après tout, je ne connais rien à ce milieu. La pièce est tellement vaste que c'est peut-être normal. D'ailleurs, c'est une salle de bal avec des chandeliers suspendus au plafond, des miroirs et des portes vitrées donnant sur une terrasse avec vue sur l'océan. Cette personne doit être supra-riche – à côté, la maison de Wes paraît modeste.

– Tu veux dire pour des pièces de théâtre ? je demande en prenant la coupe de champagne qu'il me tend.

Je balaie la salle du regard, repérant immédiatement un groupe de filles prêtes à se jeter sur Wes.

– Non, pour des films.

– Ah, tu penses que j'en connais ?

– Sans doute, dit-il en buvant une gorgée de liquide ambré.

L'odeur du whisky me monte au nez et je grimace sous l'effet des mauvais souvenirs qui me viennent à l'esprit.

– Qu'est-ce qu'il y a ? demande Wes en posant sa main sur mon épaule et en me regardant d'un air inquiet.

J'inspire profondément en essayant de ne pas penser au fait que c'est l'alcoolisme et les paris compulsifs de mon père qui m'ont mise dans ce pétrin.

– Rien, je réponds en secouant la tête.

Il lève mon menton et plonge son regard dans le mien.

– Ce n'est pas rien, prévient-il, et je ne te le demanderai pas deux fois.

– Je hais l'odeur du whisky, je réponds en haussant les épaules.

Il pose immédiatement son verre sur le bar et fait signe au barman de revenir.

– J'ai changé d'avis, je vais prendre un Gin Tonic, s'il vous plaît.

– Tu n'es pas obligé de faire ça...

Je ne termine pas ma phrase, car il pose sa main sur ma joue et promène délicatement son pouce sur ma lèvre.

– J'en ai envie. Maintenant suis-moi, je vais te présenter à ma mère.

Cette fois-ci, je dois faire un effort surhumain pour le suivre. Je meurs d'envie de sortir en courant sur la terrasse et de me précipiter jusqu'à l'océan pour m'y noyer. Qu'est-ce que je fais à une soirée comme celle-ci, au bras d'un homme comme Wes, qui écrit des films et qui a plus d'argent que je n'en verrai de toute ma vie ? Je suis la fille d'un joueur obsessionnel, abandonnée par sa mère, qui travaille surtout comme serveuse en rêvant d'obtenir n'importe quel rôle d'actrice.

J'entends des bribes de conversation tandis que Wes me guide à travers la foule – vacances exotiques, film d'action, stars d'Hollywood et scandales financiers. Les hommes me regardent chaleureusement lorsque je passe devant eux, leurs femmes ont l'air moins amicales. Apparemment, la dernière mode est aux lèvres boudeuses et à l'anorexie, deux traits que je n'ai pas, et la robe que je porte ne laisse aucune place à l'imagination.

À l'autre bout de la salle se trouve un coin avec des fauteuils en cuir marron et de grandes bibliothèques. Une femme d'une cinquantaine d'années discute avec un homme qui ressemble étrangement à Wes. Il est grand et blond comme lui, mais ce gentleman a davantage le physique d'un quaterback alors que Wes est taillé comme un nageur-surfeur. Son costume gris foncé s'assortit à merveille à la robe rose pâle de sa femme.

– Mère, Père, dit Wes en s'approchant du couple.

Les cheveux de la femme sont blond clair, presque blancs, et relevés en chignon banane. Ses yeux sont bleu turquoise et ses lèvres charnues, comme celles de son fils. Elle porte du rouge à lèvres mauve et des perles ornent ses oreilles et son cou. Son look est classique et élégant.

– Fiston, dit monsieur Channing Senior en mettant une tape dans le dos de son fils.

Sa mère l'embrasse sans lui toucher les joues. D'habitude, je trouve ça affreusement prétentieux, mais elle prend ensuite la tête de son fils dans ses mains et lui sourit chaleureusement.

– Je vois que tu as suivi ma recommandation, chuchote-t-elle à son fils avant de se tourner vers moi.

L'angoisse que je ressentais avant de rencontrer Wes est de retour, mais cette fois-ci elle est accompagnée d'un désir de vengeance. C'est elle qui m'a choisie ? Je savais que Tante Millie et elle se connaissaient, mais n'est-ce pas un peu étrange qu'une mère choisisse l'escort de son fils ?

Wes se tourne vers moi et passe sa main dans mon dos, déclenchant immédiatement une bouffée de chaleur. J'avais oublié que mon dos était nu en dehors des fines bretelles qui s'y croisent. Je frissonne et me rapproche de lui.

– Mère, Père, je vous présente Mia Saunders, dit-il tandis que je leur serre la main. Mia, voici Weston Channing Deux et ma mère, Claire.

– Je suis ravie de vous rencontrer, Monsieur et Madame Channing.

La mère de Wes croise les bras sur sa poitrine et touche sa joue avec le bout de ses doigts. Ses joues rosissent légèrement et elle sourit si largement que je finis par croire que j'ai raté une blague.

– N'est-elle pas resplendissante ? demande-t-elle à son mari avant de me faire un clin d'œil.

– Euh, merci... je réponds, ce qui fait rire son père.

– C'est un plaisir de vous rencontrer, Mademoiselle Saunders, répond-il.

– Oh, appelez-moi Mia, je vous en prie.

Il penche la tête sur le côté, puis il prend le bras de son fils. Apparemment, la conversation est terminée.

– Maintenant, fiston, parle-moi de ton dernier projet. On me dit qu'ils veulent te proposer trois pour cent du budget. Ça ne fait que trois millions de dollars alors qu'ils se sont fait des centaines de millions sur le dernier *Honor* de la série. Il faut que tu négocies plus, fils.

La série *Honor*. Weston Channing Trois a écrit la foutue série *Honor* ? Nom d'un chien ! Tous ces films ont eu un immense succès ! Le premier est sorti il y a trois ans et, depuis, il en sort un par an. Sa façon de raconter l'histoire d'un soldat qui cherche l'amour de sa vie tout en y ajoutant une bonne dose de sang, de violence et d'explosions, en plus de scènes de sexe super-chaudes, a fait battre à ces films tous les records du box-office !

– ... Ils vont me donner dix pour cent du budget global et la possibilité de diriger certaines scènes du film, dit Wes.

Je viens de réaliser que je vais passer un mois aux côtés d'une star du cinéma quand deux femmes approchent de Wes. L'une d'elle entortille une mèche blonde autour de son doigt tandis qu'elles attendent qu'il les remarque. La blonde est vêtue d'une robe bustier dorée avec des faux seins rapprochés et remontés autant que possible. Je la regarde de la tête aux pieds et je grimace. Elle est si maigre que je vois toutes ses côtes à travers sa robe. La brune n'est pas mieux : elle a aussi des faux seins, dont l'un a l'air plus gros que l'autre, et le tissu de sa robe ultra-moulante est presque transparent. Ses tétons pointent et je suis à deux doigts de lui dire de les réchauffer un peu avant de se ridiculiser, mais quelque chose me dit que c'est l'effet qu'elle désire.

À toi de jouer, Mia. À moi de mériter les cent mille dollars que Wes me paie, même si l'idée de donner autant d'argent à Blaine tous les mois me donne la nausée. Lorsque mon père ira mieux, je ne perdrai pas de temps à l'engueuler de s'être mis dans ce pétrin.

– Chéri, il me semble qu'il y a des gens à qui tu dois parler, là-bas, je dis en montrant l'autre côté de la pièce tout en lui faisant un signe de tête pour qu'il regarde derrière lui.

Wes comprend mon signal – très subtil n'est-ce pas – et regarde par-dessus son épaule. Pimbêche une et deux se dépêchent de mettre leurs faux nichons en avant et de lui faire une moue pleine de collagène.

Wes se contente de passer son bras autour de ma taille.

– Qu'est-ce que je ferais sans toi ? demande-t-il en effleurant ma joue avec son nez.

– Ce n'est pas un travail facile, Chéri, mais il faut bien que quelqu'un le fasse, dis-je sur un ton théâtral en souriant jusqu'aux oreilles.

Wes se penche pour m'embrasser dans le cou et je souris encore plus largement.

– Mmm, merci, chuchote-t-il avant de s'éloigner. Mère, Père, nous vous verrons au gala de charité la semaine prochaine, annonce-t-il.

– Ah non, non, non, cela ne me convient pas du tout, répond sa mère en se précipitant sur nous. Je veux passer plus de temps avec Mia, mon chéri, dit-elle.

Son sourire est si plein d'amour que c'est comme si la présence de son fils était la chose la plus précieuse sur terre. Hélas, je n'ai jamais connu cela.

Je sens Wes se crisper à mes côtés.

– Mère...

Elle lisse le col de sa veste, refait un de ses boutons, et je ris doucement en la voyant faire.

– Oh, Chéri, détends-toi. Je sais que Mia n'est qu'une amie, il n'y a pas de mal à ce qu'elle brunche avec nous dimanche, si ? demande-t-elle sur un ton qui n'en a pas l'air mais qui est clairement culpabilisateur.

Je me demande soudain si elle est catholique – ma grand-mère parlait sur le même ton et c'était généralement suivi d'une citation de la Bible.

Wes soupire et secoue la tête.

– D'accord, on viendra. Même heure que d'habitude ?

– Oui, c'est bien mon garçon, tu es mignon, répond-elle en lui refaisant la bise sans lui toucher les joues.

Elle se tourne vers moi et fait de même.

Nous tournons les talons et partons vers le bar.

– J'ai besoin d'un verre, dit-il immédiatement, ce qui me fait éclater de rire. Qu'est-ce qui est si drôle ?

– Tu fais toujours ce que te dit ta mère ! je m'exclame. Tu es vraiment le parfait fils à maman !

– Roh, tais-toi ou je vais regretter ma décision. J'aurais pu choisir une Barbie écervelée, tu sais, dit-il en haussant un sourcil.

Son regard enjoué me confirme qu'il plaisante. Je suis sur le point de répondre lorsque je vacille sur mes talons hauts. Il me rattrape en me tirant vers lui et je pose ma main sur son épaule. Son regard s'illumine instantanément. Il se lèche les lèvres et je ne peux m'empêcher de l'imiter. La chaleur de sa main sur le creux de mes reins pénètre sous ma peau, et tout disparaît autour de nous. Il ne reste que Weston et moi, et les battements de son cœur contre ma poitrine.

Boum boum **boum boum** **boum boum**

– Je sens que tu vas me causer des ennuis toi, dit-il en s'approchant.

Nous sommes à quelques millimètres l'un de l'autre, au milieu d'un cocktail d'affaires, plantés devant le bar à la vue de n'importe qui. Mieux vaut changer de sujet.

– Et toi, tu n'es qu'un fils à maman, je répète en reculant aussi vite que mes chaussures me le permettent pour m'asseoir sur un tabouret.

– C'est comme ça que tu veux la jouer, alors ? demande-t-il en souriant et en caressant son menton. Tu ne paies rien pour attendre, Mia.

CHAPITRE 4

Nous rentrons chez Wes quelques heures plus tard et, faisant mine d'être fatiguée, je me précipite dans ma chambre et ferme la porte à clé. Je tends l'oreille quelques secondes pour savoir s'il me suit. J'ai beau mourir d'envie d'être avec lui – sous la couette –, je dois garder mes distances pour ne pas m'attacher. Wes est sympa, il a les pieds sur terre, et ce soir il a fait l'effort de m'inclure dans ses conversations professionnelles. Je ne dois pas perdre de vue ce que je fais là. Je ne suis guère plus qu'une employée.

Cela dit... est-ce que je ne peux pas m'amuser un peu ? Je suis majeure et il est canon. Nous sommes jeunes et nous allons nous côtoyer quotidiennement pendant presqu'un mois. Vu l'alchimie qu'il y avait entre nous ce soir, je suis certaine que le sexe serait génial. Ça me ferait du bien, d'ailleurs ça fait presqu'un an que je n'ai pas eu de rapport sexuel et mon vibromasseur ne me fait plus le même effet. J'ai besoin de ce lien physique et charnel, de sentir un corps chaud et viril sur le mien.

Je regarde les différents tons de blanc qui m'entourent et ce lit moelleux et duveteux qui ressemble à un nuage. Je parie qu'il est confortable. Wes n'est pas le genre de mec qui donne des draps bon marché à ses invités. Je fais les cent pas dans la chambre en réfléchissant à ce que je vais faire. D'après le radioréveil, il est une heure du matin. Nous avons passé une excellente soirée. Je me suis amusée à compter le nombre de fois où une croqueuse de diamants a tenté d'approcher Wes et combien de fois l'une d'entre elles m'a fusillée du regard. Je comprends pourquoi il m'a engagée, maintenant. Jamais il n'aurait pu parler aux producteurs, aux directeurs et aux acteurs si je n'avais pas été avec lui.

Wes était clairement dans son élément. Il a abordé les gens avec une élégance naturelle et a pris soin de ne jamais passer plus de temps avec une personne qu'avec une autre. Il doit avoir une méthode précise, mais je ne lui ai pas posé la question. Quant à moi, je me suis contentée de le suivre et d'éloigner les harpies. Chaque fois qu'une Barbie l'a approché, je me suis présentée et j'ai pris soin de toucher Wes et de me coller à lui jusqu'à ce qu'elle comprenne le message et qu'elle s'éloigne en grimaçant. Toutes les femmes ont agi ainsi. À part la mère de Wes, je n'ai pas rencontré une seule femme sympathique. Il semblerait que, dans ce milieu, les hommes d'un certain âge aiment avoir une paire de seins accrochée à leur bras. Les nanas restent plantées à leur côté, le regard vide tourné vers l'océan, juchées sur leurs talons aiguilles, sirotant des coupes de champagne qui coûtent trois fois le prix de mon futon. Sans doute boivent-elles pour oublier.

Pourtant, en y réfléchissant, ma situation n'est pas très différente de la leur. Techniquement, je suis avec Wes pour les mêmes raisons qu'elles sont avec leurs vieux : l'argent. J'en ai besoin, et qu'elles en aient besoin comme moi ou simplement envie, ça ne change rien. En pensant à ça, une certaine amertume s'empare de moi, et toute la joie de la soirée disparaît.

Sans réfléchir, je sors de ma chambre. La maison est plongée dans l'obscurité. Dans le salon, je me dirige vers un couloir que je n'avais pas remarqué et au bout duquel se trouve une grande porte en bois. J'y colle mon oreille et j'entends le son d'une télévision. Je frappe à la porte sans l'avoir véritablement décidé.

– Entre, dit Wes.

Je respire un bon coup et ouvre la porte. Les lumières sont éteintes, mais le poêle à bois diffuse une lumière rougeâtre et chaleureuse qui se reflète sur la baie vitrée. Les meubles sont en bois massif et sur l'un d'eux est posée une télé dont l'image est arrêtée sur ce qui ressemble à un match de foot.

Wes est assis dans son lit et ne dit rien. Les flammes de la cheminée dansent sur son torse nu, vacillant sur les collines et les vallées de son abdomen musclé. Ses pecs divins me font saliver. Bon sang, ce type est une œuvre d'art. Mon cœur bat si fort que je ne serais pas surprise que Wes l'entende.

Plutôt que de retourner dans ma chambre et de faire semblant de m'être perdue, comme je devrais sans doute le faire, je passe mes mains dans ma nuque et défais ma robe. Elle tombe au sol en un mouvement fluide, formant une flaque de soie violette. Wes ne bouge pas. Je dégage mes cheveux pour les passer dans mon dos. Je suis parfaitement immobile, nue devant lui, en string de dentelle noire et en talons aiguilles.

– Viens ici, ordonne Wes d'une voix grave.

J'avance lentement vers lui et je m'arrête à un demi-mètre de son lit, sentant le feu réchauffer mon corps. Cependant, c'est le regard de Wes qui est brûlant, faisant pointer mes tétons et fourmiller mon sexe.

– Tourne-toi, dit-il.

Je lui obéis en silence et lui tourne le dos, lui arrachant un grognement.

Quelques secondes s'écoulent sans qu'il ne se passe rien et je suis sur le point de lui ordonner de faire quelque chose lorsque sa main effleure délicatement mon cou. Ses doigts descendent dans mon dos, frôlant chacune de mes courbes. Je retiens mon souffle lorsqu'un parfum d'homme et d'océan m'enveloppe, et je ferme les yeux. Ses caresses se font moins délicates, et Wes empoigne bientôt mes bras pour m'attirer contre lui, peau contre peau. Je sens son souffle sur mon oreille tandis qu'il passe sa main autour de ma taille. Il empoigne fermement un sein, et sa bouche se promène lentement sur mon cou. Il pince à peine mon téton que je gémis.

– Chérie, il faut qu'on établisse les règles de base, tout d'abord, grogne-t-il avant de me mordre l'épaule.

– Les règles de base ? je bégaie.

Je suis trop envoûtée par ce que font ses doigts pour comprendre ce qu'il dit.

– Règle numéro un : nous allons baiser comme des lapins, dit-il en pinçant de nouveau mes tétons.

Je pousse un cri tandis que la chaleur entre mes jambes trempe le tissu fin de mon string.

– C'est une règle ? je demande en haletant et en reculant pour frotter mes fesses à son érection.

Si toutes ses règles sont comme ça, je signe.

Wes grogne en tordant mes tétons, créant la dose parfaite de plaisir et de douleur.

– Règle numéro deux : si nous sommes ensemble ainsi, il n'y a que toi et moi. Nous sommes exclusifs pendant un mois.

Je me mords la lèvre et je me concentre sur le mouvement de mon bassin contre son sexe apparemment énorme.

– D'accord.

Ses mains quittent mes seins un instant, puis elles reviennent humidifiées, glissant de façon délicieuse sur chacun de mes tétons. Je fonds contre lui, presque incapable de rester debout. Sans doute le sent-il, car il me plaque fermement contre lui en continuant de tourmenter mes seins. Mon Dieu, ce mec est mon héros – s'il continue comme ça, je vais jouir sans avoir été pénétrée. Je tends un bras derrière pour saisir sa nuque et l'embrasser, mais il me tient trop fort contre lui pour que je puisse mettre mon projet à exécution.

– Règle numéro trois : nous ne dormons jamais dans le même lit. Il ne faut pas se tromper sur la nature de cette relation. Je t'apprécie beaucoup, Mia, et je ne veux pas te faire de mal. Tu dois comprendre que je ne suis pas en mesure de t'offrir une relation amoureuse. Tu m'entends ?

Sa main descend lentement sur mon ventre, et bientôt elle est là, là où je veux tant la sentir.

– Putain oui, j'ai compris ! je m'exclame en avançant mon bassin contre son doigt.

Et c'est vrai, j'ai compris. Nous voulons la même chose : de l'amitié et du plaisir physique.

Wes rit doucement dans mon cou et son souffle me donne la chair de poule. Soudain, il me retourne, s'agenouille et baisse mon string. Je baisse les yeux alors qu'il lève la tête, puis il écarte mes lèvres et sa bouche s'empare de mon sexe.

– Oh, oh, oh !

C'est tout ce que je parviens à dire.

Puis il se met à parler entre deux coups de langue, mais j'ai du mal à me concentrer sur ce qu'il dit. Il recule la tête et j'empoigne ses cheveux pour l'obliger à continuer.

– Règle numéro quatre, nous ne tomberons pas amoureux.

Il replonge sur mon sexe et suce mon clitoris en le titillant avec sa langue. Je suis à deux doigts de m'effondrer, et il m'aide à m'allonger sur le lit en laissant mes pieds au sol.

– C'est peut-être impossible, je réponds alors qu'il s'agenouille entre mes jambes.

Je suis à deux doigts de jouir lorsqu'il s'arrête en plein combo langue-doigt.

– Je te demande pardon ? demande-t-il sèchement.

Je saisis ses cheveux et je me relève en m'appuyant sur un coude.

– Détends-toi, Wes, c'est de ta langue que je suis amoureuse. Maintenant, lèche-moi pour que je puisse jouir et que je te renvoie l'ascenseur.

Son sourire est si sexy que c'est tout juste si je n'ai pas un orgasme sur-le-champ.

– T'embaucher est la meilleure décision que j'ai prise de toute ma vie, dit-il avant de souffler sur ma chair humide.

– Prouve-le ! je rétorque en soulevant mon bassin. Et c'est ce qu'il fait – encore et encore.

* * *

– Pourquoi dîne-t-on avec ce mec, déjà ? je demande à Wes lorsque nous montons dans l'ascenseur qui nous mène au rooftop du plus haut gratte-ciel de la ville.

Ça fait six mois que j'habite à Los Angeles et je n'ai jamais dîné dans un restaurant de luxe, ce qui me fait prendre conscience que ma vie amoureuse est affreusement triste. Au moins, ce boulot va me permettre de goûter à de belles choses... du moins je l'espère, mais je suppose que ça dépendra du client. Pour l'instant, je tiens la main de l'homme le plus sexy de la planète et je m'amuse comme une folle.

Hier soir, après qu'il m'a fait jouir plusieurs fois avec sa bouche, je lui ai rendu la pareille en lui faisant une pipe du tonnerre. Ensuite, nous nous sommes douchés et nous avons discuté en nous savonnant. Lorsque j'ai vu qu'il bandait de nouveau, je me suis agenouillée devant lui pour le sucer, puis il m'a fait grimper aux rideaux une nouvelle fois. C'est étrange, mais j'ai réalisé seulement ce matin que nous n'avions pas véritablement baisé, et que nous ne nous sommes pas embrassés une seule fois. Nos ébats n'avaient rien d'émotionnel, or c'est de loin la meilleure expérience sexuelle que j'aie jamais eue. Peut-être que c'est ça l'astuce, justement ? Ce que Ginelle et mes autres amies ont compris et pas moi ?

Baiser… sans attache. C'est contre-nature, pour moi. J'ai beau me considérer comme une dure à cuire, je suis quand même tombée amoureuse de tous les hommes avec qui j'ai couché. Tous, sans exception.

Ça fait à peine vingt-quatre heures que je le connais, et je me sens mieux avec Wes qu'avec tous les autres, parce que tout est fondé sur du respect et de l'amitié – et une montagne d'orgasmes. Lorsque j'ai fini de me doucher, je suis retournée dans ma chambre et je me suis laissée tomber sur le lit, la tête la première dans l'oreiller, sur un petit nuage. Je me souviens vaguement que Wes est venu me border et qu'il m'a embrassée sur la tempe en me souhaitant bonne nuit.

Ce matin, c'est le bruissement du programme de la semaine qui m'a réveillée lorsque Miss Croft l'a glissé sous ma porte. Je me suis préparée en vitesse et je suis allée dans la cuisine où j'ai trouvé Wes assis devant une assiette d'œufs et de bacon. Miss Croft m'a servi le même petit déjeuner et j'ai passé en revue le programme avec Wes, qui m'a détaillé la tenue exigée pour chaque événement, les horaires et le but de chaque sortie.

J'ai presque l'impression d'être l'assistante personnelle de Weston Charles Channing III et pas juste une prostituée de luxe. Techniquement, je ne le suis pas, bien sûr, même si j'ai couché avec lui dès le premier soir. Toutefois, c'est simplement parce que j'étais excitée, qu'il est canon et que je me sentais seule. Et puis les règles de Wes me conviennent parfaitement. Nous sommes exclusifs, nous ne dormons pas ensemble et nous ne tombons pas amoureux. Facile. Les doigts dans le nez.

Wes appuie sur le bouton du dernier étage et s'adosse au mur de l'ascenseur.

– C'est le réalisateur du quatrième *Honor*, que j'ai intitulé *Honor Code*. C'est l'histoire d'un espion en mission chez l'ennemi qui écrit des messages cryptés à ses officiers. Il envoie aussi des messages à sa fiancée en utilisant le même code, mais comme elle ne peut pas les lire, il l'entraîne dans un voyage qui lui permettra de déchiffrer ses lettres.

Je le regarde en souriant, remarquant la manière dont son regard s'illumine lorsqu'il me parle de son scénario.

– Ça a l'air super-romantique.

Il me sourit en jouant des sourcils.

– C'est l'idée, en tout cas. Les nanas deviennent accros à des films qui sont traditionnellement destinés aux mecs – avec du sang, de la violence, des explosions, la guerre et des espions.

Les portes de l'ascenseur s'ouvrent et je le suis à une table où sont déjà assis un homme en costume et une petite femme blonde.

– Monsieur Underwood, Madame Underwood, dit Wes en leur serrant la main. Je suis content de vous voir. Voici Mia, mon amie.

Je leur serre la main, et Wes recule ma chaise pour que je m'y asseye. Je le regarde en souriant, et ses yeux s'adoucissent momentanément avant qu'il ne remette son masque d'homme d'affaires. La jolie blonde à ma gauche me dit qu'elle s'appelle Jennifer, puis elle me complimente sur ma robe. C'est une robe de cocktail plutôt sage – bleu roi, portefeuille, avec un joli décolleté. En dehors de ça, elle n'a rien de spécial. J'ai lissé mes cheveux et ils m'arrivent en bas du dos en un rideau noir et brillant. Cependant, le meilleur aspect de ma tenue reste les chaussures.

Miss Croft a peut-être l'air de Mary Poppins, mais elle doit avoir une carte VIP chez Prada, Gucci et Louis Vuitton ainsi qu'un abonnement à *Vogue*, parce que ces bottines à talons Louis Vuitton sont tout simplement magnifiques. Si pour une raison ou pour une autre je n'arrivais pas à tenir une année avec ce boulot, je pourrais me faire une fortune en revendant toutes ces chaussures et ces fringues haute couture. Rien qu'avec ces bottines, je pourrais me faire mille deux cents dollars – eh oui, j'ai regardé. Ça paraît sans doute matérialiste, mais je n'ai pas pu m'empêcher de regarder leur prix sur Internet.

– Attends, tu n'as pas vu mes chaussures ! je m'exclame en sortant un pied de la table pour les montrer à Jennifer.

Nous parlons ensuite de sa tenue, de son styliste et de ce qu'elle fait de ses journées. En gros, pas grand-chose. Elle est surtout là pour être jolie et s'assurer que monsieur Underwood est satisfait. Je suppose que ça signifie qu'elle fait ce qu'elle veut de ses journées, qu'elle s'assure que la cuisinière prépare ce que désire son mari, que la femme de ménage repasse ses chemises et nettoie la maison comme il faut, et de son côté, elle s'occupe d'être épilée, gommée et prête à écarter les jambes lorsqu'il rentre du boulot.

– C'est vrai que je ne sais pas quoi faire de mes journées, chuchote Jen.

Ouaip, au bout de vingt minutes, elle me confie déjà ses problèmes. Cependant, j'ai l'habitude. J'ai le genre de visage qui inspire confiance. Je sais désormais qu'elle a rencontré son mari quand elle était figurante sur un de ses films et qu'elle l'a épousé il a un an, à l'âge de vingt-trois ans. Apparemment, c'était le coup de foudre.

– Pourquoi tu ne fais pas du bénévolat ? Tu as des passions ?

Elle cligne rapidement des yeux, l'air confuse.

– J'aime nager, je nage tous les jours !

Ça ne m'étonne pas, à la regarder. Son corps est svelte, mais elle n'a pas l'air anorexique comme toutes les autres nanas d'Hollywood. Ses seins sont faux, ça c'est évident, mais ils lui vont plutôt bien.

– Et si tu faisais du bénévolat auprès des jeunes ? je propose mais elle secoue déjà la tête en grimaçant.

– Je ne pense pas que Jay serait d'accord.

J'y réfléchis une minute.

– Tu aimes les enfants ?

Ses yeux s'illuminent comme ceux d'un enfant devant un gâteau d'anniversaire.

– Oui, je les adore ! Tu ne vas pas me croire, mais j'étais institutrice en maternelle, avant de rencontrer Jay.

Elle regarde son mari et son sourire s'agrandit. Il le sent et lui lance un clin d'œil sans interrompre sa conversation avec Wes. Lorsque Jen me regarde, son visage exprime la plus grande joie que j'aie jamais vue, et c'est contagieux.

– Pourquoi tu ne travaillerais pas avec des enfants alors ? Ou mieux, faites-en !

Elle écarquille les yeux, regarde Jay et me regarde de nouveau.

– Ça ne fait qu'un an qu'on est mariés, et ça ne faisait que quelques mois qu'on se connaissait, avant ça. Tu ne crois pas que c'est trop tôt ? demande-t-elle.

Je hausse les épaules et bois une longue gorgée de vin.

– Peu importe ce que je pense. Ce qui compte, c'est ce que vous pensez. Si tu veux des enfants, fonce ! Et puis, il a quinze ans de plus que toi, ça doit bien ralentir ses nageurs, non ? Vous pourriez ne pas y arriver tout de suite.

Jen y réfléchit, et son enthousiasme croît sous mes yeux. Elle se redresse et elle ne cesse plus de sourire et de gigoter. Elle ne quitte pas son mari des yeux et il se tourne de nouveau vers elle. Cependant, cette fois-ci, Jay lève un index pour mettre sa conversation sur pause.

– Qu'y a-t-il, ma chérie ? demande-t-il.

Elle sourit jusqu'aux oreilles et hausse les épaules.

– Rien, je suis juste heureuse. Et il faudra qu'on parle en rentrant à la maison, dit-elle en posant sa main sur la sienne.

Il se penche pour l'embrasser sur la joue.

– Tu es sûre que ça peut attendre ? demande-t-il d'un ton inquiet sans la quitter des yeux.

Elle l'embrasse tendrement et secoue la tête.

– Oui, ne t'en fais pas. Tout va bien.

Wes se penche et passe son bras dans mon dos.

– C'est quelque chose que je devrais savoir ? demande-t-il.

– Je te raconterai tout plus tard, je chuchote.

– J'espère bien, dit-il en chatouillant mon cou avec son nez.

Le dîner se poursuit sans problème. En tenant compagnie à Jen, j'ai permis à Jay de se sentir à l'aise pour discuter du prochain film. Apparemment, il va laisser Wes diriger une bonne partie des dialogues du couple ainsi que des scènes plus intimes – j'ai trouvé ça hilarant et je n'ai pas pu me retenir d'éclater de rire.

La conversation s'arrête net et Wes me dévisage.

– Pardon, j'ai repensé à quelque chose d'amusant, ne faites pas attention à moi.

Cependant, à l'heure du dessert, lorsque Jay sort fumer accompagné de sa femme, Wes m'attire à lui et je sens que je vais me faire gronder.

– Qu'est-ce qui était si drôle ? me demande-t-il.

– Rien, je réponds en jouant avec ma serviette. Je trouvais juste marrant que Monsieur Je-ne-suis-pas-en-mesure-d'offrir-une-relation-amoureuse dirige les scènes romantiques. Ça me semble bizarre, c'est tout.

– Pourtant, tu ne t'es pas plainte hier soir, dit-il d'une voix rauque.

Je me rapproche encore de lui, jusqu'à ce que ma bouche soit à quelques centimètres de la sienne.

– Hier... c'était...

Il respire brusquement et se lèche les lèvres, ces lèvres que je meurs d'envie de croquer.

– ... du sexe. Ça n'avait rien de romantique.

Wes prend délicatement mon cou dans sa main et caresse ma mâchoire avec son pouce. Il rapproche encore un peu sa bouche de la mienne, mais il ne m'embrasse toujours pas.

– C'est ce que tu veux ? Du romantique ? demande-t-il alors que ses lèvres effleurent les miennes.

– Non, je veux du sexe... je dis, au moment où une lourde main saisit mon épaule.

– Alors, les tourtereaux ! s'exclame Jay Underwood, nous faisant sursauter.

Je ne vais jamais goûter à sa bouche, apparemment. Or je le veux... plus que tout. Je commence à perdre patience, mais il est hors de question que je fasse le premier pas.

Wes couvre sa bouche pour cacher son sourire.

– Plus tard, chérie. On a toute la nuit, promet-il.

– Ouais ouais, des promesses, toujours des promesses, je dis en feignant de bâiller.

Je bois une gorgée de mon thé – désormais tiède – tandis qu'il secoue la tête, le regard pétillant de malice.

– Si c'est un défi, j'accepte, déclare-t-il.

CHAPITRE 5

Nous avons à peine passé la porte de la maison que Wes me saisit par la taille pour me plaquer contre le mur. Il plonge la tête dans mes cheveux et lèche la zone sensible de mon cou, descendant sur ma clavicule avant de remonter vers mon oreille. Ma nuque se couvre de chair de poule et je ferme les yeux. Ses mains glissent sous ma robe pour empoigner mes fesses, et il lève mes jambes pour les passer autour de ma taille.

– Je vais m'enfouir si profondément en toi que tu vas me sentir dans ta gorge, promet-il en me portant dans sa chambre.

Sans préambule, il me lâche sur le lit et reste debout à me mater, les yeux noirs de désir, fermant et ouvrant les poings.

– Enlève ta robe, ordonne-t-il.

Je m'exécute et me dresse sur mes genoux, en soutien-gorge et string bleu marine. Wes retient son souffle, puis il expire en sifflant.

– À toi maintenant, enlève-moi ce costume, je dis en promenant mes mains sur mes seins.

Sa mâchoire se contracte et il se dépêche d'enlever sa veste et sa cravate. Il déboutonne sa chemise, exposant ce torse hâlé que j'aime tant, et je me mords la lèvre.

– Tout. Je te veux à poil.

Wes sourit et prend son temps pour enlever sa ceinture et ouvrir sa braguette. Il sort une capote de sa poche, l'ouvre avec les dents et la déroule sur son érection, sans jamais me quitter des yeux. Je passe ma main dans mon dos et défais mon soutien-gorge. Lorsque son pantalon atterrit par terre, mon soutif le rejoint.

– Putain, tu es tellement belle, dit-il d'une voix émerveillée.

Je hausse les sourcils en observant son superbe corps nu – grand, bronzé, musclé, avec une queue épaisse, prête à me servir.

– Tu n'es pas mal non plus, tu sais, dis-je en profitant de la vue.

– Prouve-le, se moque-t-il en souriant, répétant mes paroles de la veille, montrant qu'il a fait attention à nos échanges.

Cette constatation me rend beaucoup trop heureuse, mieux vaut ne pas y penser.

Je marche à quatre pattes au bord du lit et je plaque mes mains sur son torse. Je baisse la tête pour lécher et mordiller son téton, le faisant gémir. Il empoigne mes cheveux et je lève la tête, survolant sa bouche avec la mienne. Il humidifie ses lèvres, se préparant pour ce premier baiser, mais je ne le lui donne pas, me contentant de l'embrasser au coin de la bouche.

– Tu as décidé de me tourmenter, c'est ça ? demande-t-il d'une voix enjouée.

J'effleure sa joue du bout de mon nez, puis je prends le lobe de son oreille dans ma bouche.

– Je ne vois pas de quoi tu parles, je murmure.

Il saisit mes hanches et baisse mon string.

– Je crois que si, rétorque-t-il en me faisant reculer sur le lit.

Je tombe sur le dos et lorsque je rouvre les yeux, ses mains sont sur mes genoux. Il écarte mes jambes, voit mon sexe humide et affamé et pousse un long grognement. Il promène un doigt sur ma fente avant de le poser sur mon clitoris, m'arrachant un gémissement.

– J'ai envie de te dévorer, dit-il en plongeant son regard brûlant dans le mien. Mais d'abord, je veux être en toi.

Il se positionne sur moi et me pénètre avec le bout de son gland. Je me cambre, car ce n'est pas assez. Il me faut plus, j'ai besoin de plus.

– Regarde-moi te prendre pour la première fois, dit-il d'une voix suave et sexy.

Et c'est ce que je fais. Je regarde son sexe me pénétrer centimètre après centimètre. Mes lèvres sont étirées autour de sa verge épaisse. Jamais je ne me suis sentie aussi pleine.

Je pousse un grognement et rejette la tête en arrière, incapable de continuer à regarder.

– Mia, chuchote-t-il d'une voix tendue.

J'ouvre les yeux pour découvrir son regard affamé. Il se relève sur les coudes et pose ses mains sur mes joues. Il recule son bassin avant de replonger en moi tout en s'emparant de ma bouche. Nos corps fusionnent. Il n'y a plus de Mia ni de Wes, il n'y a plus qu'un nous frémissant et bouillonnant.

Le baiser est sauvage et accablant. Il plonge sa langue dans ma bouche alors que sa queue s'enfouit en moi, m'offrant tant de plaisir que chaque cellule de mon corps crie de joie. Je l'entoure de mes jambes et mes bras, m'accrochant à lui tandis qu'il me baise en touchant des zones érogènes dont je ne connaissais pas l'existence. Mon plaisir est si intense que mon premier orgasme déferle bientôt dans mes veines.

– Putain, oui, Mia. Tu me serres si fort ! Encore, ma chérie.

Wes continue ses allers-retours, mais son orgasme n'arrive toujours pas. Bon sang, ce mec est un étalon. J'ai tiré le gros lot quand ma tante m'a assigné ce contrat.

Il suce mes lèvres une dernière fois puis il se retire brusquement. Cependant, je n'ai pas le temps de protester qu'il m'a déjà retournée en soulevant mon bassin.

– Tu as un cul parfait, Mia.

Il gifle ma fesse avant de replonger sa queue en moi.

– Mon Dieu, tu es incroyable, je râle en baissant mon torse sur le lit.

Il empoigne mon bassin et son rythme devient effréné, nos chairs claquent sèchement l'une contre l'autre.

– Je veux sentir ta chatte se contracter sur moi, grogne Wes alors que sa main descend entre mes jambes.

Ses doigts ont à peine touché mon clitoris que les parois de mon sexe se referment sur sa verge. Il grogne longuement, et trois allers-retours plus tard, il s'immobilise, niché entre mes fesses. Il s'effondre sur moi et son souffle chaud chatouille ma nuque. Nous sommes tous les deux haletants et ébahis de plaisir. Il roule sur le côté et me tire contre lui, puis nous passons quelques minutes à nous bécoter comme des adolescents. Sa chambre sent l'océan, le sexe et mon parfum. Si je pouvais mettre cette odeur en bouteille, je la porterais tous les jours.

– Alors, raconte-moi quelque chose...

– Tu peux être un peu plus précise ? demande Wes en riant.

Je hausse les épaules.

– Raconte-moi n'importe quoi, quelque chose à propos de toi, je réponds en promenant le bout de mon index sur son torse.

– Hum... eh bien tu sais que j'adore écrire des scénarios de films. Et que j'aime le surf, dit-il en me faisant un clin d'œil. Tu as rencontré mes parents et ma nounou. Enfin, c'était ma nounou quand j'étais petit, maintenant elle s'occupe de ma maison.

– Miss Croft ?

Il hoche la tête.

– Il y a autre chose à dire ? demande-t-il.

– Ben oui, plein ! Tu as des frères et sœurs ?

– Une sœur, plus âgée que moi. Elle est mariée et elle n'a pas encore d'enfants. Elle est institutrice et son mari est le proviseur de l'école.

– Alors, je n'ai pas besoin de te demander comment ils se sont rencontrés, je dis en jouant des sourcils. Comment elle s'appelle ?

– Jeanine. Et toi ? Des frères et sœurs ?

– Ouais. Maddy. Enfin, Madison. Elle a cinq ans de moins que moi. Elle a dix-neuf ans, elle est à la fac à Las Vegas.

– D'accord. Qu'est-ce qui t'a fait venir ici ?

Je me rapproche un peu de lui.

– J'avais besoin de changer d'air. Je pensais que j'étais destinée à être actrice. Enfin, je le souhaite toujours, mais...

Je m'arrête là, car je n'ai aucune envie de lui raconter ma vie en détail.

– Mais ? insiste-t-il, si tu veux être actrice, pourquoi tu es escort ?

– Pour l'argent, je réponds en haussant les épaules. D'ailleurs, tu es mon premier, tu sais.

Il se tourne sur le côté pour que l'on soit face à face.

– Mon premier client, je veux dire.

– Ah. Et qu'est-ce que tu en penses, pour l'instant ? demande-t-il en souriant.

Je fais mine de ne pas être emballée.

– Hmm, je te mettrais un sept sur dix.

Il roule sur moi en coinçant mes bras le long de mon corps.

– Eh ! je m'exclame en souriant jusqu'aux oreilles.

– Sept sur dix ! Tu me donnes un sept alors que tu n'as aucun point de comparaison ?

Il m'embrasse brièvement, puis ses mains descendent sur mes côtes pour me chatouiller. Immédiatement, je hurle de rire. Lorsqu'il voit à quel point je suis chatouilleuse, il ne se retient plus et continue jusqu'à ce que je gigote violemment, me débattant aussi fort que possible, lui criant d'arrêter, essoufflée de rire.

– Avoue-le, je mérite un dix ! dit-il en arrêtant sa torture.

– D'accord, d'accord, je concède en reprenant mon souffle. Je t'accorde un joli huit.

Il remue de nouveau les doigts.

– D'accord, un neuf ! je crie tandis qu'il poursuit son assaut. Neuf virgule cinq !

Il cesse.

– Neuf virgule cinq, ça me laisse de la marge pour m'améliorer, dit-il avec un regard pétillant. J'ai le reste du mois pour obtenir un dix.

* * *

Je passe les journées suivantes toute seule à la maison, car Wes travaille au studio avec l'équipe de *Honor Code*. Lorsqu'il rentre le soir, nous dînons ensemble, nous regardons un film ou nous lisons côte à côte. Puis, plus tard, il me fait grimper aux rideaux, et l'un ou l'autre regagne sa chambre. La routine marche à merveille. Je m'amuse beaucoup et le sexe est incroyable. Mieux encore, je ne risque pas de m'attacher à lui. Ce job d'escort est fabuleux.

Je me laisse tomber sur le lit après que Wes et moi venons de jouir.

– Alors ça, chérie, ça mérite un dix ! me félicite-t-il.

Je lui pince le téton en riant et il saisit mon poignet.

– Aïe ! Tu es folle, tu le sais ça ? dit-il en m'embrassant.

Il empoigne mes cheveux et me tire sur lui.

– Encore ? je m'exclame.

– J'y peux rien, avec toi je suis plus dur que ma planche de surf.

Il m'embrasse langoureusement et saisit mes poignées d'amour.

– Tu viens vraiment de comparer ta bite à une planche de surf ?

Il plonge son regard dans le mien et s'immobilise.

– Merde, je crois bien, oui. Ton corps me rend stupide. J'en perds la tête.

– Si tu le dis. Mais je suis courbaturée et j'ai besoin de dormir. Alors, lève-toi et ramène ton joli p'tit cul dans ta chambre, dis-je en roulant sur le matelas et en enfonçant ma tête dans l'oreiller.

La main de Wes caresse lentement mon dos.

– Tu n'aurais pas oublié quelque chose, ma chérie ? dit-il d'une voix amusée.

J'ouvre un œil et je le vois me dévisager en souriant.

– Tu es dans ma chambre.

– Et zut ! je m'exclame en rejetant la couette alors qu'il s'installe confortablement.

– On brunche avec mes parents demain, sois prête à dix heures ! crie-t-il au moment où je sors de sa chambre toute nue.

– Va te faire voir ! je crie par-dessus mon épaule.

Je vire à gauche pour emprunter le couloir vers ma chambre et je tombe nez à nez avec Judi Croft.

– Saperlipopette, ma chère ! s'exclame-t-elle en se couvrant les yeux.

Je grimace et la contourne en trottinant.

– Pardon, Miss Croft, je ne voulais pas vous faire peur.

Au bout du couloir, j'entends Wes se fendre la poire. Eh bien, si Judi ne pensait pas déjà que je suis une prostituée, je viens de le lui prouver.

* * *

– Tu es très en beauté, Mia, dit la mère de Wes en me serrant dans ses bras.

Je ne sais comment réagir à ces marques d'affection, n'ayant pas l'habitude qu'une figure maternelle me prenne dans ses bras.

– Merci, Madame Channing. Votre maison est très belle.

Elle sourit, et un employé me propose un Mimosa dans une flûte à champagne.

Je prends le temps d'étudier l'immense véranda. Des tons or et crème sont associés à du rouge bordeaux et du bleu marine – un mélange élégant et luxueux. La table est dressée avec de la porcelaine fine, et il y a plus de couverts que j'en ai dans tous mes tiroirs. Un beau bouquet de roses est posé au centre de la table, donnant un air d'été à la pièce alors que nous sommes en janvier. Cela dit, je suppose que l'hiver n'est jamais très rude à LA, un peu comme à Vegas où il ne gèle jamais. D'ailleurs de toute ma vie, je n'ai vu la neige qu'une ou deux fois.

– Te voilà ! s'exclame une jolie blonde en déboulant dans la pièce.

À ses côtés se tient un grand brun avec des lunettes en écaille de tortue.

Wes la prend dans ses bras.

– Salut sœurette !

Elle recule la tête et étudie son visage.

– Tu as l'air en forme, Wes.

Je ne l'ai jamais vu afficher un tel sourire, sauf quand il me chatouillait, l'autre soir.

– Sœurette, je te présente mon amie, Mia, dit-il en mettant une main sur le bas de mon dos.

– Salut ! C'est Jeanine, c'est ça ? je demande en tendant la main.

Elle hoche la tête et me la serre.

– Alors... une amie, c'est ça ? demande-t-elle en nous regardant tour à tour.

– Oui petite sœur, une amie, répète-t-il.

Elle lève les yeux au ciel.

– Si tu le dis.

À table, nous passons aux choses sérieuses.

– Alors Mia, que fais-tu dans la vie ? demande Jeanine. Vous vous êtes rencontrés au travail ?

Je regarde Wes, qui a l'air aussi gêné que moi.

– On peut dire ça, oui, je réponds en enfournant une bouchée de quiche.

Sans préambule, Claire Channing s'immisce dans la conversation.

– Oh, allez, bien évidemment que vous vous êtes rencontrés en travaillant. Mia est une escort. Je l'ai choisie moi-même, n'ai-je pas merveilleusement bon goût ?

Elle parle sur un ton nonchalant, comme si le fait de sélectionner l'escort de son fils n'avait rien de bizarre.

Jeanine écarquille les yeux.

– Tu es une call-girl ?

– Je te demande pardon ? je m'exclame en même temps que Wes rétorque « Absolument pas ! ».

Je me sens pâlir, et soudain ma quiche a du mal à passer.

– Alors tu ne couches pas avec mon frère ? demande-t-elle d'un ton dénué de malice, comme si elle parlait de la météo.

– Euh...

– Ça ne te regarde pas, répond Wes en se levant de table.

Il jette sa serviette sur sa chaise en rougissant.

– Je ne te laisserai pas insinuer de telles choses sur Mia, ajoute-t-il.

Jeanine se lève aussitôt et court vers son frère.

– Je suis désolée, pardon. Ce n'était pas ce que je voulais dire ! J'ai juste entendu le mot escort et... j'en ai tiré les mauvaises conclusions. Je ne voulais pas être méchante.

Claire se lève de table à son tour.

– Mais non, Jeanine n'a pas cherché à mal. C'était une simple erreur, dit-elle.

Cependant, Wes ne veut rien entendre.

– Pas simple, non. Mia est mon amie, et je l'ai peut-être engagée pour m'aider à supporter un mois de dîners et de cocktails ennuyeux, mais elle n'a rien à voir avec une prostituée, dit-il en me regardant. Je suis désolée, Chérie, ajoute-t-il d'un regard plein de remords.

Il a l'air si désolé que je sais que je dois arranger les choses.

– Écoutez, c'était une simple erreur. J'ai pensé la même chose quand ma tante Millie m'a parlé du job. Mais j'ai décidé de tenter l'expérience, et je ne le regrette pas, parce que j'ai rencontré Wes, et maintenant vous tous, et ça en vaut le coup.

Claire se rassied en me regardant d'un air chaleureux et Jeanine prend son frère dans les bras.

– Et puis, vous avez vu les chaussures que j'ai gagnées ? je demande en me tournant sur ma chaise pour lever ma jambe aussi haut que possible, comme me l'a montré ma prof de danse au lycée. Elles sont canon, non ?

Claire se couvre la bouche pour cacher son rire et Jeanine regarde mes talons avec envie. Son mari ne dit rien, mais il regarde ma jambe comme si elle renfermait les secrets de l'univers, et le père de Wes lui frappe l'épaule en lui disant « Bien joué, fiston ! ».

– Bref, j'aimerais en savoir plus sur vous, dis-je en buvant une gorgée de Mimosa. Wes m'a dit que tu étais prof, et toi proviseur ? Comment ça se passe ?

Le reste de l'après-midi se déroule sans encombre. Claire, Weston Deux, Jeanine et Peter, son mari, me racontent l'enfance de Wes au sein de la famille Channing. Je ris davantage en quelques heures que durant toute l'année qui vient de s'écouler. Le ton léger sur lequel ils racontent leurs anecdotes est presque insupportable pour quelqu'un comme moi qui ai grandi sans famille. La mienne, si on peut l'appeler ainsi, consiste en un père alcoolique et ma petite sœur Maddy que j'ai passé le plus gros de mon enfance à élever. Nous avions beau savoir que papa nous aimait plus que tout, il n'a jamais cessé de boire et de parier, gâchant tous les souvenirs que nous aurions pu avoir avec lui.

Lorsque nous partons, Claire fait promettre à Wes de me ramener le dimanche suivant, ce qu'il accepte. Nous marchons à sa Jeep lorsqu'il m'attire à lui pour m'embrasser langoureusement.

– C'était étonnamment sympa, non ?

Je souris en retour, me sentant soudain très émue.

– Je suis d'accord. C'est une des plus belles journées que j'aie connues depuis longtemps. Merci de m'avoir amenée.

– Quand tu veux, chérie, répond-il en me faisant un clin d'œil. Ils t'apprécient beaucoup.

J'attache ma ceinture et je regarde par la vitre tandis que nous quittons leur villa haut perchée en descendant la longue allée sinueuse.

– Ta famille est vraiment sympa, tu sais. Tu as de la chance.

– Elle est comment, ta famille ? chuchote-t-il, et son sourire s'évanouit.

Je recule dans mon siège et regarde les vagues s'écraser sur la plage.

– Ma sœur Maddy est géniale. Elle est brillante. Je pense qu'elle va avoir une super-carrière scientifique. J'ai passé la plus grande partie de mon enfance à m'occuper d'elle.

– Où étaient tes parents ?

– Mon parent, je corrige.

Il me regarde du coin de l'œil avec le regard le plus triste au monde.

– Ma mère était danseuse à Las Vegas et elle a quitté mon père quand j'avais dix ans. Maddy n'avait que cinq ans.

– Elle n'est jamais revenue ? demande Wes sans quitter la route des yeux.

– Non. Et à cause de ça, mon père s'est mis à boire. Beaucoup. Et à parier – encore plus.

Il prend ma main et la porte à ses lèvres pour l'embrasser.

– C'est pour ça que tu fais ce que tu fais ?

Je pourrais mentir et lui sortir une excuse pourrie, mais ça gâcherait l'honnêteté qui s'est installée entre nous et grâce à laquelle la situation fonctionne aussi bien. Au lieu de répondre, je me contente de hocher la tête.

– Tu veux en parler ? demande-t-il d'une voix douce et encourageante.

C'est trop tôt. Je ne suis pas prête à parler de mes problèmes. Par ailleurs, Wes est un mec bien et je sais qu'il chercherait à arranger la situation en payant ma dette, ou quelque chose comme ça. Or, c'est mon problème, c'est mon père, et c'est pour le sauver que je suis là.

– Tu m'en parleras, un jour ?

– Oui.

Pour l'instant, c'est tout ce que je peux promettre.

CHAPITRE 6

— Réveille-toi, Chérie.

C'est ce que j'entends juste avant de recevoir une fessée.

– Aïe ! je m'exclame en sursautant.

Je saisis la couette pour couvrir mes parties intimes et je fusille Weston du regard.

– C'est quoi ton problème ?

Je n'ai pour réponse qu'un immense sourire.

– Allez, dépêche-toi. Prends ton maillot de bain et des fringues confortables. On va à la plage ! s'exclame Wes, clairement emballé par son programme.

Il a travaillé dur toute la semaine et je ne l'ai vu que tard le soir, sauf lorsque nous sommes allés à un dîner d'affaires affreusement ennuyeux. Cependant, je me suis occupée en déjeunant avec

Jennifer Underwood, la femme du réalisateur, ainsi qu'avec la mère de Wes. Personne ne semble choqué par mon rôle dans la vie de Wes, et il est lui-même ravi que je me fasse de nouveaux amis pendant qu'il est occupé. La possibilité que je m'attache à lui en passant du temps avec ses proches semble moins l'inquiéter que l'idée que je m'ennuie toute la journée.

– Comment ça, on va à la plage ? Tu sais que nous sommes en janvier et qu'il fait un froid de canard ? je réponds en tirant la couverture au-dessus de ma tête.

Je sens un poids sur le matelas puis Wes est sur moi, me coinçant sous la couverture. Il la retire et, en un mouvement rapide, il relève mes bras au-dessus de ma tête. Il se penche pour m'embrasser – un baiser lent, mouillé et si sensuel que mes orteils se recroquevillent. Il enlève davantage la couverture et effleure mes tétons avec son nez avant d'en prendre un dans sa bouche et de le sucer.

– Aaah, tu vois ? C'est comme ça qu'on réveille une fille, dis-je en gémissant.

Il me récompense en suçant mon téton plus fort.

– Je tâcherai de m'en souvenir pour la prochaine fois. Si je te fais jouir, tu seras de meilleure humeur ?

Il se met à lécher la pointe dure de mon sein tandis que sa main se charge de son jumeau, et je hoche bêtement la tête, trop perdue dans le plaisir qui m'ôte toute capacité à parler.

Wes rigole doucement.

– Si je mets ma bouche sur toi et que je donne un orgasme, tu feras ce que je dis ?

Il m'est impossible de lui dire non. Avec sa bouche et ses doigts sur ma poitrine, je ne peux que lui donner ce qu'il veut.

– Oui, mon Dieu, oui ! je gémis.

Sa tête descend sur mon ventre puis entre mes jambes, et il me donne tout ce que je veux, et plus encore. Wes mérite une médaille d'or dans l'art du cunnilingus – il sait exactement quand mordre, quand sucer et lécher, et il le fait avec un talent exquis.

Il mord.

Il suce.

Il lèche.

Sa langue tournoie sur mon clitoris et il n'arrête pas tant que je n'ai pas joui. Je me cambre et mes mains plongent dans ses cheveux pour le retenir sur moi. Il grogne en me dévorant, semblant prendre autant de plaisir que moi. Peut-être même plus, à en croire la vitesse avec laquelle il plonge soudain son sexe en moi.

Nous n'arrivons à la plage qu'une heure plus tard. Nous sommes accueillis par un prof de surf du nom d'Amil.

– Tu m'as amenée ici pour que je vous regarde surfer ? je demande sur un ton irrité après avoir serré la main de l'autre génie du surf.

Wes regarde Amil, puis moi, puis il sourit. Un sourire machiavélique.

– Non. En fait, je t'ai amenée ici parce que nous allons surfer. Amil va m'aider à te montrer comment faire. Il a tout l'équipement nécessaire pour toi, y compris une combinaison. C'est lui qui tient Surf Shack[2] à l'autre bout de la plage, dit Wes en pointant son doigt vers l'horizon.

Je regarde Wes et ses cheveux blonds qui volettent dans la brise matinale. Une étincelle dans ses yeux verts les rend presque émeraude à la lumière du soleil.

– Tu es sérieux ?

Il hoche la tête en désignant Amil, qui me tourne le dos – m'offrant une vue sublime sur son dos musclé et bronzé – et sort de sa voiture une combinaison qui semble être à peu près à ma taille.

– Ça devrait t'aller. Tu mesures quoi – à peu près un mètre quatre-vingt-cinq ? Et tu pèses soixante-trois kilos ?

– Un mètre quatre-vingts, et... ta mère ne t'a jamais dit qu'on ne demandait pas son poids à une femme ?

– Hélas, non, répond Amil en secouant la tête et en riant.

– Eh bien, elle a failli à sa mission alors, dis-je

---

2. Cabanon de surf.

sur un ton sarcastique. C'est impoli, et les femmes détestent ça. Tu es marié ?

Il secoue la tête.

– Tu as une copine ?

Il secoue de nouveau la tête.

– C'est bien ce qui me semblait. Je n'ai plus rien à dire, je conclus en frappant dans mes mains comme si je venais de prouver la théorie de la relativité d'Einstein.

Wes éclate de rire à côté de moi.

– Elle a raison, mec.

– Désolé Mia, dit Amil. Mes sincères excuses. Je voulais juste m'assurer que la combinaison t'irait.

Il me tend le vêtement en question et, après maintes tentatives, je réussis enfin à l'enfiler, non sans l'aide de Wes. Ma poitrine est compressée, et c'est si étouffant que je suis à deux doigts d'ouvrir la fermeture Éclair pour la libérer. Cependant, lorsque je baisse les yeux, je ne peux me retenir de sourire. J'ai l'impression d'être Catwoman, et le regard de Wes me dit qu'il pense la même chose. D'ailleurs, il semble prêt à arracher ma combinaison.

Amil n'apprécie pas notre manque d'attention durant ses instructions. Le truc, c'est que je m'en fiche, j'ai juste envie de me jeter dans les vagues. Dix minutes plus tard, « L'introduction à l'art du surf » d'Amil est terminée, et Wes me mène au bord de l'eau en portant nos planches.

– Tu sais, je peux porter ma propre planche.

– Je suis sûr qu'il y a beaucoup de choses que tu peux faire, Chérie, mais j'ai besoin d'aider ma nana pour me sentir viril. Et puis, tu es sympa de jouer le jeu.

Sa nana ? Il vient vraiment de dire ça ?

– Ma nana ? je demande avant que mon cerveau n'en vienne à nous imaginer le jour de notre mariage.

– Ouais, enfin tu vois ce que je veux dire, répond-il en souriant.

Euh, non, je ne vois pas ce qu'il veut dire. Je suis sur le point de creuser davantage la question lorsqu'Amil nous interrompt.

– Ok, alors on va d'abord faire des leçons pratiques là-bas où la mer est plus calme. Allez, ne fais pas ta poule mouillée, ajoute-t-il quand il me voit grimacer.

Je suis sur le point de protester lorsque Wes me met une fessée et me pousse vers l'océan. Néanmoins, une fois dedans, il se comporte en parfait gentleman. Il m'aide à bien me positionner, me conseille sur ma posture et tient ma planche en place pour que je puisse m'entraîner. Nous décidons que je dois d'abord monter sur les genoux avant d'essayer de me lever.

Au bout de quelques essais, lorsque mon stress s'est dissipé, j'arrive à prendre de petites vagues en étant allongée sur la planche. Il me faut plus d'une heure pour arriver à me mettre à genoux, mais je n'ai jamais été aussi fière de moi. J'entends Wes crier et siffler pour m'encourager, ce qui est nouveau pour moi. J'ai toujours été celle qui encourageait les autres – que ce soit Maddy ou Ginelle. Même lorsque je faisais de la danse contemporaine et que j'étais une des meilleures danseuses, je n'avais pas un sentiment de fierté aussi fort. Peut-être est-ce à cause du beau gosse qui m'attend sur la plage à côté de sa planche. Je prends une dernière vague avant de lâcher ma planche et de courir à lui.

– Tu m'as vue ? je m'écrie.

– Bien sûr ! C'était génial ! Tu es faite pour ça, ma chérie, répond-il en ouvrant les bras.

Je me jette sur lui et nous tombons dans le sable. Ses lèvres trouvent immédiatement les miennes et ses mains empoignent mes cheveux pour me plaquer contre lui. Nous restons ainsi un moment, à nous rouler des pelles comme des ados. Un raclement de gorge exagéré nous interrompt alors que les mains de Wes sont sur mes fesses, pressant son érection contre mon sexe. Nous nous séparons lentement, haletant et souriant comme des idiots, pour tomber sur le visage enjoué d'Amil.

Wes m'aide à me lever et me garde contre lui.

– Tu étais sublime, dit-il en caressant ma joue avant de l'embrasser.

– Merci de m'avoir appris, on pourra revenir ? je demande, excitée à l'idée de surfer de nouveau.

– Tout ce que tu voudras, ma douce Mia.

* * *

Le programme de ma troisième semaine est composé de dîners ennuyeux et d'une autre soirée mondaine. Le cocktail dînatoire me gêne moins que les dîners, car je peux déambuler parmi la foule, goûter à de délicieux canapés et boire des champagnes qui coûtent autant, voire plus, que mon loyer. Cependant, je ne peux pas dire que je m'amuse. Wes passe la plupart du temps à parler et à parcourir la foule.

Il ne plaisantait pas en disant qu'il n'a pas le temps pour une relation sérieuse. La femme qui décidera d'être à ses côtés doit s'attendre à passer beaucoup de temps toute seule. Il lui faut une femme qui a sa propre carrière et que ça ne dérange pas d'attendre tard le soir pour un petit coup rapide et un câlin.

Une vive douleur me perce les entrailles en imaginant Wes avec une autre femme – tomber amoureux, se marier, avoir des enfants, être heureux, pendant que moi... Quoi ? Je continue d'être une escort ?

Je repose le petit four que je viens de prendre et je bois le reste de ma flûte de champagne cul sec.

– Hop là, doucement, dit Wes en passant un bras autour de ma taille. Tu veux finir saoule, ou quoi ? demande-t-il d'une voix enjouée.

– Pourquoi ? Tu profiteras de moi si c'est le cas ? je demande d'une voix aguicheuse en pressant mes seins contre son torse.

Il inspire brusquement en me serrant contre lui.

– Absolument, répond-il très sérieusement en regardant mes seins.

Il suffit de ça pour que mon string soit trempé.

– Ne m'excite pas, ce n'est pas juste quand tu as encore plein de gens à qui parler, dis-je en faisant la moue.

Je l'embrasse dans le cou en prenant soin de souffler pour le faire frissonner. Il grogne en appuyant son bassin contre le mien afin de me faire sentir la force de son désir.

– Je ne sais pas si j'arriverai à te laisser partir dans huit jours, dit-il, et son regard devient on ne peut plus sérieux.

Je retiens mon souffle et plonge mon regard dans le sien.

– C'est comme ça, pas le choix.

Il baisse la tête et appuie son front contre le mien.

– Et si on avait le choix, justement ?

Merde. Nous nous sommes pourtant promis que ce genre de conversation était impossible, non ? Ça va à l'encontre de tout ce que nous avons négocié lorsque j'ai signé le contrat – et en plus, c'est contre les règles qu'il a fixées lui-même lorsque nous avons couché ensemble pour la première fois, il y a plus de deux semaines.

– Ne fais pas ça, je chuchote.

Il inspire lentement et expire plus lentement encore.

– D'accord, dit-il fermement, semblant décidé à laisser les choses telles quelles.

Telles qu'elles doivent être, car je n'ai pas le choix. Même si je voulais que les choses deviennent sérieuses avec Wes – ce à quoi je préfère ne pas penser –, c'est tout simplement impossible. Je dois toujours trouver un million de dollars pour sauver mon père, et personne d'autre que moi ne peut le faire. Je ne vais pas risquer sa vie pour une relation qui pourrait finir en queue de poisson comme toutes les autres, car je m'en voudrais toute ma vie d'avoir choisi mon bonheur à ses dépens. Il a beau être alcoolique et dilapider le peu d'argent qu'il a, il reste une des seules personnes à m'avoir vraiment aimée. Je ne peux pas l'ignorer, même pour Wes, et même si cette possibilité emplit mon cœur, ma tête et mon âme d'espoir. J'ai un travail à faire et je vais le faire.

– Allez, viens danser, propose Wes pour détendre l'atmosphère.

La soirée est l'occasion pour les acteurs, l'équipe de tournage et les investisseurs du film de se rencontrer. C'est la première soirée où Wes peut fêter tout ce qu'il a accompli, et je suis déterminée à ce qu'il passe un bon moment.

Il me tient contre lui et je repense au temps que nous avons passé ensemble. Les deux dernières semaines ont été un rêve pour moi. Lorsque ma tante Millie m'a proposé ce boulot, j'étais persuadée que j'allais vendre un bout de mon âme au diable. Or, deux semaines plus tard, je me suis faite à l'idée, je sais comment je veux que les choses se déroulent avec mes futurs clients, et je suis convaincue que les onze prochains mois vont aller comme sur des roulettes. Peut-être arriverai-je même à me faire des contacts dans le milieu du cinéma, ou peut-être que je continuerai à être escort et à ramasser du fric à la pelle. Cela dit, je ne vais pas voir la couleur de cet argent pendant un an. Je vais simplement m'assurer d'en garder assez pour en envoyer à Maddy et payer mon loyer.

En gagnant cent mille dollars sur douze mois, j'aurai deux cent mille dollars de plus que le million que je dois à Blaine. Je pourrai donc payer les cent mille dollars que va coûter la fac de Maddy, et il me restera encore cent mille. J'enverrai trois mille dollars à ma sœur pour ses dépenses quotidiennes, et j'aurai encore quelques milliers de billets à la banque.

Bien sûr, mon temps ne m'appartient plus, et ça va sans doute finir par m'agacer, mais je croise les doigts pour que mes autres clients soient comme Wes – qu'ils bossent beaucoup et qu'ils n'aient guère besoin de moi. Comme ça, j'aurai le temps de me détendre dans leurs sublimes maisons.

Toutefois, je sais déjà que dire adieu à Wes ne va pas être facile. Je me demande si ce sera le cas avec tous mes clients. J'aime passer du temps avec Wes, et le sexe avec lui est incroyable. Rien que de repenser à ce qu'il m'a fait ce matin sous la douche me fait rougir... mon Dieu, cet homme est un sex-toy géant.

– Eh, tu as l'air fiévreuse, ça va ? demande Wes d'une voix inquiète.

Je baisse les yeux et j'appuie mon front contre son torse. Les battements de son cœur me replongent dans un état contemplatif et je remue mon bassin pour qu'il sache que je n'ai pas fini de danser. J'ai besoin de sentir ses bras autour de moi – avec lui, j'ai l'impression d'être la seule femme sur terre.

– Je vais bien. Il fait chaud, et tu me donnes encore plus chaud.

Je lève les yeux au moment où il baisse les siens, et nos regards se verrouillent.

– Tu sais, en dehors de ma mère et de ma sœur, tu es sans doute la femme la plus précieuse que je connaisse.

– Précieuse ? je demande en riant.

– Ouais. Je veux dire que...

Ses lèvres effleurent ma joue, puis elles trouvent mon oreille.

– ... tu comptes pour moi, chuchote-t-il.

Je le serre fort dans mes bras, le plus fort possible. Je veux qu'il sache combien il compte pour moi aussi, mais je ne trouve pas les mots pour le lui dire. Je m'accroche à son dos, m'agrippe à sa veste, et il empoigne mes bras pour me faire reculer un peu.

– Eh, eh, Mia... On n'a pas besoin d'en parler, mais il faut que tu saches...

Je secoue la tête, refusant d'entendre une nouvelle déclaration de sentiments que je ne peux pas lui retourner.

– Mia, écoute-moi, dit-il en prenant mon visage dans ses mains.

Je retiens mon souffle en attendant ce qu'il a à dire.

– Ce n'est pas parce que nous ne pouvons pas être en couple qu'on ne peut pas garder contact. On peut rester amis, tu sais.

Je sais qu'il pense ce qu'il dit, et un sentiment de profond soulagement m'envahit, me faisant sourire jusqu'aux oreilles.

– Tu es sérieux ?

– Très sérieux, ma chérie. Maintenant, allons nous chercher un verre. Ils vont bientôt annoncer le casting d'*Honor Code*. Tout le monde le connaît déjà, mais ça fait partie du rituel, dit-il en me faisant un clin d'œil.

Lorsque nous arrivons au bar, je tombe nez à nez avec Jennifer Underwood.

– Mia ! Mon Dieu, je t'ai cherchée partout ! dit-elle en prenant mon bras et en m'éloignant de Wes.

Ce dernier me regarde en fronçant les sourcils, clairement inquiet, et je secoue la tête pour lui dire de se détendre.

– Qu'est-ce qui se passe, Jen ?

Elle se rapproche de moi et regarde autour d'elle pour être sûre que personne ne peut l'entendre.

– J'ai du retard, dit-elle avant de se mordre la lèvre.

– Pardon ? je réponds, ne comprenant pas où elle veut en venir.

– J'ai du retard sur mon cycle, explique-t-elle.

Soudain, je comprends. Elle a du retard ! Waouh ! Lorsque nous nous sommes revues pour déjeuner, elle m'a remerciée d'avoir changé sa vie. Apparemment, lorsqu'ils sont rentrés du dîner où nous nous sommes rencontrées, elle a annoncé à Jay qu'elle voulait un enfant, et il était aux anges. Il semblerait qu'il y pensait depuis le soir de leur mariage mais qu'étant donné qu'ils ne se connaissaient que depuis peu, il avait pensé qu'elle voudrait attendre. Depuis cette conversation, ils baisent comme des lapins.

Je prends les mains de Jen dans les miennes.

– De combien ? Vous venez juste de vous y mettre !

– Je sais ! s'exclame-t-elle un peu trop fort, attirant l'attention de quelques personnes autour de nous.

Je l'emmène un peu à l'écart, dans un coin plus tranquille.

– J'ai cinq jours de retard, et je ne le suis jamais, même pas d'un jour.

– Putain ! je m'écrie.

– Je sais !

– Mon Dieu !

– Je sais ! répète-t-elle.

Nous nous mettons toutes les deux à sautiller sur place en nous tenant les mains comme des enfants, puis je la prends dans mes bras. Sauf lorsqu'il s'agit de Ginelle et de Maddy, je ne suis pas pour les démonstrations d'affection avec les femmes, mais je me sens très proche de Jennifer – c'est quelqu'un de bien et je la considère déjà comme une amie.

– Il faudra que tu me tiennes au courant quand je serai partie.

Je n'ai pas dit à Wes que j'avais expliqué à Jen ce que je faisais avec lui, mais elle m'a promis de ne rien dire, et pour l'instant, elle a mérité ma confiance.

– C'est génial ! Comment a réagi Jay ?

– Il a envie de le dire à tout le monde, même si on n'en est pas encore sûrs, dit-elle en levant les yeux au ciel.

– Les hommes sont bêtes. Attends, si tu es tombée enceinte tout de suite, tu ne dois être qu'à deux semaines, donc un test maison ne sera peut-être pas assez précis. Tu ferais mieux de faire une prise de sang et de voir un toubib.

– C'est ce que j'ai pensé, moi aussi. J'ai rendez-vous vendredi prochain. J'espère juste qu'entre-temps je n'aurai pas mes règles, dit-elle en grimaçant.

Je la serre à nouveau dans mes bras et nous retournons lentement vers les garçons.

– Restons positives et croisons les doigts, hein ?

Elle hoche vivement la tête.

Nous retrouvons Wes et Jay alors que la foule se rassemble devant une petite scène montée au milieu de la salle de bal. L'orchestre cesse de jouer et Wes me tend une coupe de champagne.

– Tout va bien ?

– Super-bien, oui.

– Est-ce que j'ai besoin de savoir quelque chose ? demande-t-il en haussant un sourcil.

– Non, je réponds en secouant la tête. Tu sauras tout plus tard.

Il rit et me guide vers la scène au moment où le présentateur commence à annoncer les acteurs du film.

– Tu es excité ? je demande.

– Je connais déjà le casting.

– Et alors ? Maintenant, tout le monde va le savoir et en parler pendant des mois ! Moi je suis excitée, alors que je ne connais presque rien du film !

Wes pose sa main sur mon épaule et me colle contre lui. Les acteurs montent sur scène les uns après les autres pour saluer le public lorsque le présentateur annonce leur nom et le rôle.

– J'ai hâte de savoir qui va jouer Will, le soldat qui envoie les lettres d'amour à Allison. Oh ! Qui va jouer Allison ? je demande en me tournant vers lui.

– Personne ne va jouer Allison, répond-il en baissant les yeux.

– Comment ça ? Je croyais qu'elle était l'amour de sa vie ? je demande, confuse.

Wes sourit jusqu'aux oreilles et désigne la scène de la tête.

– Regarde, tu vas voir.

À peine a-t-il dit ces mots qu'une superbe femme aux cheveux noirs approche de la scène. Je la connais ! C'est l'actrice Gina DeLuca ! Elle est grande et mince, tout en ayant des courbes sublimes – tous les hommes l'adorent et toutes les femmes veulent lui ressembler. En plus, on dit qu'elle est infiniment généreuse et qu'elle prend soin d'être un bon exemple pour les jeunes filles.

Toutefois, ma surprise ne s'arrête pas là.

– Et voici Gina DeLuca, pour le premier rôle féminin, Mia Culvers !

Je suis bouche bée en me tournant vers Wes.

– Surprise ! s'exclame-t-il en souriant de toutes ses dents.

Jamais je n'oublierai ce sourire et ce moment.

– Évidemment, tu as changé le nom du personnage principal ?

– Oui, dit-il simplement.

Je cligne plusieurs fois des yeux pour éviter que mes larmes ne coulent.

– Pourquoi ?

– Parce que tu comptes.

CHAPITRE 7

Jésus Marie Joseph. Je compte. Il a appelé le personnage principal du film comme moi. Il a même changé son physique pour qu'elle me ressemble. Allison devait être petite, blonde, et avoir les yeux bleus. Rien à voir avec une grande femme à forte poitrine et aux cheveux ébène comme Gina DeLuca... ou moi.

Je ne sais pas encore ce que j'en pense. Wes et moi nous sommes mis d'accord pour ne pas nous attacher – or, si je suis honnête, je ne peux pas dire que je ne tiens pas à lui. Est-ce que je l'aime ? Je ne crois pas. Je me suis tellement concentrée pour ne pas tomber amoureuse que la possibilité d'ouvrir mon cœur ne s'est jamais présentée.

Les vibrations de mon téléphone coupent court à la série de « et si » qui se prépare dans ma tête. J'étais sur le point d'imaginer nos enfants. Ralentis, Mia, ce n'est pas une option, et tu le sais. Il le sait aussi, d'ailleurs – il faut que nous nous en contentions.

– Bonjour, dis-je en voyant le nom de ma tante sur l'écran.

– Salut, ma poupée ! Alors, cette vie dans le palais des merveilles ?

La voix enjouée de ma tante ne fait que me rappeler ma véritable place dans le monde. Ce job m'offre une vie de luxe... temporaire. Ce n'est pas ma vie, et ça ne le sera jamais.

Je réponds à ma tante par un soupir.

– Si bien que ça ?

– Non, oui, ça va. Quoi de neuf ? je demande en étudiant les pointes de mes cheveux.

Il est temps de passer chez le coiffeur.

– Je t'appelle pour parler de ton prochain client, poupée.

À l'autre bout du fil, j'entends le bruissement de feuilles de papier et le bruit de ses ongles sur son clavier.

– Tu files à Seattle ! s'exclame-t-elle.

Je n'y suis jamais allée, ça peut être marrant.

– Celui-ci va être intéressant. Il s'appelle Alec Dubois. Il a trente-cinq ans, il est grand, brun et beau. Mais il est bizarre.

Je ne dis rien, car avant de rencontrer Wes, toute cette situation me semblait bizarre. Or, je sais maintenant qu'il est possible qu'un homme bon et généreux ait besoin d'embaucher une amie, pour une raison ou pour une autre. Sans ce job, je n'aurais jamais rencontré Wes. Je ne lui ai pas encore dit, mais il compte énormément pour moi.

– ... Il t'a choisie sur le site le lendemain de ton départ chez monsieur Channing, et il m'a fait promettre de t'avoir pour le mois suivant.

Je grimace et je m'enveloppe dans le plaid laissé sur la chaise.

– C'est un psychopathe ?

Millie éclate de rire au téléphone, je l'éloigne de mon oreille.

– Non, ma chérie, c'est un artiste ! Tu vas être sa muse ! Apparemment, il a su dès qu'il t'a vue qu'il voulait te peindre pour sa nouvelle série *Amour sur toile*.

J'entends le cliquetis de ses ongles et mon téléphone bipe pour m'annoncer l'arrivée d'un message. Je la mets sur haut-parleur et j'ouvre le mail qu'elle m'a envoyé.

– Waouh !

– Je t'avais dit qu'il était beau, répond la voix mielleuse de ma tante. Presque autant que monsieur Channing, non ?

Je hoche la tête en regardant la photo de monsieur Alec Dubois. Cet homme est sublime – le portrait craché de Ben Affleck, mais avec des cheveux longs relevés en chignon sur le dessus de la tête, une barbe et une moustache. J'ai hâte de voir jusqu'où lui arrivent ses cheveux !

J'inspire et j'expire lentement pour évacuer la bouffée de chaleur qui envahit mon corps.

– Alors, qu'est-ce que je suis censée faire en tant que muse ?

– Je ne sais pas trop. Je sais que ses œuvres sont inhabituelles et qu'elles se vendent pour des centaines de milliers de dollars. Par contre, si tu te déshabilles pour lui, il doit payer plus. Si tu couches avec lui, et quelle femme ne le voudrait pas, ajoute-t-elle en riant, il est quand même censé te payer vingt mille dollars en plus du contrat.

– Est-ce qu'il peut exiger que je me déshabille ? je demande.

Je me sens sale, tout à coup, et je ne me souviens plus de ce que j'ai signé dans le contrat.

– Non, non, non, ça ne fait pas partie du deal. Mais il en a parlé en te réservant. Je lui ai dit que ça lui coûterait vingt-cinq pour cent supplémentaires et que c'était toi qui avais le mot de la fin. Techniquement, il n'est pas censé te toucher sexuellement, bien évidemment.

Vingt-cinq pour cent, ça fait vingt-cinq mille dollars.

– Tu es sérieuse ? J'aurai vingt-cinq mille dollars si je le laisse peindre des nus de moi ?

– Non, poupée, toi tu auras vingt mille dollars. *Escorts Exquises* touche vingt pour cent de ce que tu gagnes, donc on prend cinq mille et toi tu en prends vingt.

Je hausse les épaules, car je m'en fiche, j'ai déjà décidé de me mettre à poil. Ces vingt mille dollars me rapprochent plus vite de mon but. Ça paierait les emprunts qu'on a faits pour la première année de fac de Maddy.

– Pas de souci, je suis partante ! Du moment que je ne suis pas obligée de coucher avec lui, je veux bien poser nue.

Mon Dieu, c'est affreux. Je n'ai même pas encore quitté Wes que je salive devant la photo du prochain. Peut-être suis-je une salope, finalement.

– Nickel. Ton vol partira le premier février, alors ne le rate pas. Ton dernier jour avec monsieur Channing est le vingt-huit janvier, donc ça te laisse quelques jours pour aller chez l'esthéticienne, le coiffeur et le gynécologue. Bon, si tu n'as pas de questions, je te laisse...

– Euh, Tante Millie ?

– Miss Milan, tu te souviens ? prévient-elle.

– Pardon, mais tu réalises que je ne vais pas t'appeler comme ça que devant les clients, non ? je réponds de manière tout à fait sérieuse.

– Qu'y a-t-il, Mia ? demande-t-elle froidement.

– Est-ce qu'il est possible pour les escorts de revoir leurs clients après une mission ?

– Oh, non, je t'en supplie. Ne me dis pas que tu es tombée amoureuse de monsieur Channing ?!

– Non ! Ce n'est pas ça du tout !

Enfin... Non, pas vraiment. Pas du tout même. Je crois.

– C'est juste qu'on est devenus amis et j'aimerais garder contact avec lui sans enfreindre de règles.

Tante Millie soupire lentement.

– Aucune règle ne l'interdit, mais fais attention, Mia. Ces hommes peuvent te promettre la lune, ça ne veut pas dire qu'ils la décrocheront pour toi. Crois-moi, j'ai déjà entendu ça. Trop de fois, d'ailleurs.

– Alors, il n'y a rien qui l'interdit ?

– Non, mais... protège ton cœur, ma poupée. Ce métier n'est pas pour tout le monde et tu as déjà beaucoup souffert pour quelqu'un de si jeune. Prends le temps de t'amuser, de te détendre, et goûte à tout ce que la vie peut t'offrir. C'est sans doute ta seule occasion de le faire. Appelle-moi quand tu auras rencontré monsieur Dubois. Je t'envoie les infos par mail, annonce-t-elle avant de raccrocher.

Je ravale le nœud qui se forme dans ma gorge. Ma tante a raison. Je ne peux pas laisser Wes me convaincre qu'il pourrait y avoir quelque chose de sérieux entre nous. Je m'envole pour Seattle dans quelques jours.

* * *

– Chérie, je suis rentré ! s'écrie Wes.

Je suis dans la piscine, en train de me détendre, lorsqu'il sort dans le patio en costume, tout sourires. Mon Dieu, que ce mec est sexy! Il est toujours beau gosse, mais quand il est en costume... il est à croquer.

– Tu rentres tôt, non ? Il n'est que quatorze heures trente, dis-je en me soulevant pour m'asseoir sur le bord de la piscine, du côté opposé à Wes.

Il s'arrête au bord de l'eau, et son regard balaie mon corps avec un regard si brûlant que je sens ses yeux sur mes cuisses, mes seins et ma gorge. Je le regarde enlever ses chaussures, puis sa veste, et je m'appuie sur mes mains en me cambrant pour remonter mes seins vers le ciel en penchant la tête en arrière. J'écarte un peu les jambes, et lorsque je relève la tête pour voir si mon petit spectacle fonctionne, j'entends un énorme *plouf.* Wes nage vers moi, tout habillé, comme un requin nageant sur sa proie. Il émerge de l'eau et je me penche pour saisir sa cravate et le tirer entre mes jambes. Il pose ses mains sur mes genoux et les écarte davantage.

– C'était impulsif, dis donc, dis-je en effleurant sa bouche.

Je ne l'embrasse pas, laissant l'eau de la piscine ruisseler entre nous.

– Tu trouves ? Alors, tu vas adorer ça, dit-il.

Il fond sur ma bouche et sa langue s'y engouffre, m'embrassant comme si c'était la dernière fois.

– J'ai pensé à toi toute la journée, grogne-t-il.

Il promène sa langue sur mon cou, puis sur ma poitrine. Ses doigts glissent sous les triangles de mon bikini et les écarte, libérant mes seins.

– Putain, j'adore tes seins, dit-il en léchant une pointe avant de la sucer.

Je gémis en plongeant mes mains dans ses cheveux pour le tenir en place, mais Wes ne semble pas avoir l'intention d'arrêter. Il continue de torturer mes seins jusqu'à ce que j'ondule contre son corps, cherchant n'importe quelle forme de friction. Lorsque je suis au bord de l'orgasme – alors qu'il n'a touché que mes seins –, il repousse mon torse pour m'allonger sur le béton froid. Il trouve les nœuds de mon bikini sur mes hanches et il tire dessus. Mon Dieu, il va faire ça ici, en pleine journée, à la vue de tous.

– Wes...

Je n'y crois pas moi-même. Je suis déjà sur un nuage. Si Miss Croft passe, elle poursuivra sa route. Parce qu'elle est classe, contrairement à moi. Wes mordille mes cuisses et sort mes pieds de l'eau pour les poser sur le rebord, pliant mes jambes à quatre-vingt-dix degrés. Il saisit mes genoux et les ouvre, m'écartant comme les ailes d'un papillon prêt à s'envoler. Et mon Dieu, je m'envole.

Sa langue m'a à peine touchée que je sens les premières contractions de mon orgasme. J'empoigne ses cheveux, mais il prend mes mains et les glisse sous mes fesses.

– Tu t'assieds dessus. Pas le droit de toucher, gronde-t-il.

Alors, c'est comme ça qu'il veut la jouer ? Il veut garder tout le contrôle, ce qui veut dire qu'il va me pousser à ma limite et me faire jouir une fois après l'autre. Il l'a déjà fait, une fois, et il m'a donné tant d'orgasmes que je me suis évanouie alors que j'étais à cheval sur lui. C'était l'expérience la plus sensuelle et la plus charnelle de toute ma vie. Jusqu'à celle-ci.

Du bout des doigts, il écarte mes lèvres et pose sa langue sur mon sexe, m'offrant mon premier orgasme. Ensuite, il se met à grogner dans ma chair, chantant une sorte de cantique coquin.

– *Je te baise.*

– *Je te dévore.*

– *Je te suce.*

– *Encore. Encore.*

– Putain, Mia, je pourrais te bouffer toute la journée.

À peine a-t-il prononcé ces mots qu'il suce mon clitoris aussi fort que possible, et je m'échappe sur un deuxième nuage orgasmique. Mon corps est parcouru de spasmes et je n'ai pas le temps de m'en remettre que Wes me soulève pour me replonger dans l'eau.

Le choc de température et de sensations décuple mon orgasme, et je n'ai pas atterri qu'il passe mes jambes autour de sa taille et plaque mon dos contre le mur de la piscine.

– J'ai tellement envie de toi, chérie. Je veux que tu me sentes en toi, même quand tu ne seras plus là, grogne-t-il en me pénétrant brusquement.

Je ne l'ai même pas vu enlever son pantalon, qui doit flotter quelque part dans la piscine. Quant au reste, il est toujours en chemise et en cravate. Je m'accroche au tissu mouillé tandis qu'il s'enfonce rapidement et profondément en moi. Je crois qu'il ne sait même pas qu'il parle, mais je m'accroche à chacun de ses mots, gravant chaque phrase dans ma mémoire pour me replonger dans ce souvenir plus tard quand j'aurai besoin de lui... lorsqu'il me manquera.

– *J'étais ici.*

– *Ensemble.*

– *Putain.*

– *J'adore.*

– *Ne m'oublie pas.*

– Ne m'oublie pas, répète-t-il plus fort en s'enfouissant en moi, touchant le point qui me fait basculer, m'offrant l'orgasme le plus puissant et le plus long de toute ma vie.

Je m'entends crier, mais mon corps ne m'appartient plus. Ma voix n'est plus la mienne. Lorsque je reprends mes esprits, sa bouche est sur la mienne.

Nous restons connectés au bassin tandis qu'il me porte dans sa chambre et qu'il m'allonge sur son lit. Il ne me quitte qu'une seconde, le temps d'enlever sa chemise et sa cravate, puis il s'étend sur moi. Il écarte mes jambes et replonge en moi.

Cependant, cette fois-ci, il ne me baise pas. Il me fait lentement l'amour.

* * *

– Salut ma salope ! Ça fait longtemps ! crie Ginelle d'une voix agacée.

– Salut ma pute, désolée de ne pas t'avoir appelée, mais je travaillais.

– Ouais, si on appelle chevaucher la queue de Weston du boulot, rétorque-t-elle sur un ton légèrement plus enjoué.

– Nous n'avons pas toutes le talent nécessaire pour danser comme une déesse, tu sais.

– C'est vrai... dit-elle en faisant traîner la dernière syllabe.

– Tu me manques, je déclare d'une voix tremblante.

Ginelle soupire longuement avant de répondre.

– Ta vieille tronche me manque aussi. Je me fais beaucoup plus draguer quand tu n'es pas là, à croire que tu es plus jolie que moi. Je rêve.

C'est comme ça que je sais qu'elle a pardonné mon silence.

– Comment va mon père ? je demande alors que je suis morte de trouille d'entendre la réponse.

– Physiquement, il va mieux. Il ne s'est toujours pas réveillé, mais ils l'ont sorti des soins intensifs, donc c'est bon signe.

C'est un bon signe, c'est vrai. Ça signifie qu'il va survivre, mais qu'il n'est pas encore tiré d'affaire.

– Est-ce qu'ils savent pourquoi il n'est pas sorti du coma ?

– Ils ne me disent pas grand-chose, tu sais, Mia. Officiellement, je ne fais pas partie de la famille.

C'est absurde, Ginelle fait davantage partie de la famille que tous les membres des deux côtés que l'on ne voit jamais. Elle est la seule en qui j'ai confiance.

– Merci de lui avoir rendu visite, en tout cas. Comment va Maddy ? je ne lui ai parlé qu'une fois et ce n'était que quelques minutes entre deux cours. Elle a l'air de crouler sous les devoirs.

– Ouais, c'est vrai. Et elle s'inquiète de ne pas avoir assez d'argent. Les factures commencent à s'entasser. Tu veux que je lui donne du cash ?

– Non, non ! J'ai de l'argent. Enfin, je vais en avoir beaucoup dans une semaine. Assez pour les factures et la nourriture. Et bientôt, je vais en avoir encore plus ! Il faut juste que je prenne l'avion la semaine prochaine, et j'aurai cent mille dollars sur mon compte en banque. J'ai aussi la possibilité de gagner vingt mille de plus, et ça, ce ne sera que pour moi.

– Ah bon ? Comment ? demande-t-elle en tirant sur sa cigarette.

Je ronge l'ongle de mon pouce et j'en regarde la pointe dentelée.

– Mon prochain client est artiste et je vais être sa muse, ou un truc comme ça. Il veut que je pose nue pour lui. Si je le fais, je me fais vingt mille dollars.

– Putain ! Je me désape tous les jours et personne ne me file vingt mille balles ! Donne-moi le numéro de Tata Millie, je veux du fric, moi aussi, grogne-t-elle.

J'éclate de rire. Bon sang, ça me fait un bien fou de parler à ma meilleure amie. Ça me rappelle qui je suis et d'où je viens. Je suis peut-être habillée comme une Barbie, mais je reste Mia Saunders. Celle qui a élevé sa petite sœur, qui s'est débrouillée toute seule et qui va sauver son père... pour la énième fois. Avec un peu de chance, ce sera la dernière. J'espère que lorsqu'il se réveillera et qu'il se rendra compte de ce qu'il a fait, il apprendra la leçon. Peut-être qu'il arrêtera de boire et qu'il ira voir un psy.

– Tu vas rentrer, ou pas ? demande Gin tandis que je sors du dressing la robe que je vais porter ce soir.

Wes m'emmène à un cocktail avec les acteurs du film. Ça a l'air chouette et je vais rencontrer des gens célèbres avec qui j'espère travailler un jour. Pour l'instant, ma carrière d'actrice s'est éloignée.

Je trouve drôle d'avoir enfin un pied dans le milieu du cinéma alors que je ne suis pas en mesure d'aller à des auditions ni de faire quoi que ce soit. Tant que mon père n'est pas sorti de ce pétrin, cette partie de ma vie est en suspens.

– J'aimerais bien, mais je dois aller à Seattle trois jours après avoir quitté Malibu. Tante Millie m'a prévu un tas de rendez-vous chez l'esthéticienne et compagnie durant ces trois jours. Mais j'essaierai le mois prochain, promis.

– Eh, ne t'en fais pas, je sais que tu as autant envie de rentrer que j'ai envie de voir ton gros cul. Tout va bien se passer ici. Bon sang, Mia, il faut que ton père comprenne, cette fois-ci. Tu ne peux pas continuer à tout chambouler chaque fois qu'il fait une connerie.

– Je n'ai pas le choix, Gin, si je ne le fais pas, ils vont le tuer. Et il est dans le coma, ce n'est pas comme s'il pouvait se défendre.

Ce n'est pas la première fois que nous avons cette conversation. J'aime Ginelle du fond du cœur, mais elle m'a déjà fait la leçon des dizaines de fois à ce sujet. Ce n'est pas que j'aie envie d'aider mon père, c'est simplement que je ne peux pas laisser les molosses de Blaine le tuer. Blaine n'hésiterait pas une seconde à mettre sa menace à exécution – il serait plus inquiet à l'idée de tacher son costume Armani de sang que d'ôter la vie à mon père.

Il y a un bruissement au bout du fil, puis j'entends les jingles et les alarmes des machines à sous tandis que Ginelle retraverse le casino.

– Promets-moi simplement que tu trouveras un moyen de vivre ta vie ?

– Mais oui, mais oui. De toute façon, je m'amuse pas mal ici, à Malibu. Wes m'a appris à surfer !

– Ok, ça c'est très cool. Je n'ai jamais vu l'océan, grogne-t-elle. Quand ton job t'aura rendue riche, tu m'emmèneras à la plage ?

J'éclate de rire.

– Pour voir ton cul de salope en bikini ? Beurk.

Je fais un bruit de régurgitation et je fais semblant de m'étouffer.

– Tu es tordue, tu sais. Je crois que je vais annuler ton statut de meilleure amie, crache-t-elle.

– Tu ne peux pas révoquer mon statut – je le suis et puis c'est tout. Comme les dix commandements, c'est comme ça.

– Tu viens de comparer notre amitié aux dix commandements ? Tu es sérieuse ?

– Euh... ouais !

– Tu vas aller en enfer, déclare-t-elle.

– Si c'est le cas, tu auras intérêt à être là pour venir me chercher !

Elle glousse et je souris en serrant fort mon téléphone.

– Bien sûr que je serai là.

– Je t'aime.

– Je t'aime aussi, salope.

CHAPITRE 8

La réception se déroule au restaurant Nubu, le plus chic de Malibu. Tous les acteurs et les scénaristes de *Honor Code* sont là. Lorsque nous arrivons, une hôtesse nous guide dans le jardin privatisé. Un plancher en bois massif recouvre le sol de l'immense véranda, ornée d'un mobilier en osier couvert de coussins moelleux. Le jardin offre une vue à cent quatre-vingts degrés de l'océan dans lequel le soleil couchant se fond en des mélanges de rose et d'orange qui sont à couper le souffle. Je m'appuie à la rambarde de la terrasse, face à la plage, et Wes me prend dans ses bras par-derrière, me serrant contre son torse.

— Magnifique, dit-il dans mon oreille.

— Oui, c'est sublime, je réponds.

– Je ne parlais pas de la vue.

Il me mord le cou, m'envoyant une avalanche de frissons entre les jambes.

– Espèce de beau parleur, dis-je en lui pinçant la cuisse.

– Aïe ! Très bien, je ne te ferai plus de compliments, répond-il, feignant d'être vexé.

Je tourne la tête et saisis sa nuque pour l'embrasser. Il a passé la journée au studio de production et il m'a manqué. C'est la première fois que j'ai l'occasion de l'embrasser. Il grogne dans ma bouche et recule pour me dévisager. Après un long moment, il secoue la tête et sourit. Je sais qu'il veut dire quelque chose, mais je sais aussi que je n'ai pas la force de l'entendre.

– On va boire un verre et manger un bout ?

– Ok, répond-il d'une voix déçue.

Il prend ma main et m'emmène au bar, où nous commandons à boire, puis nous nous servons sur le plateau que nous présente le serveur. Nous mangeons nos canapés asiatiques lorsque la plus belle femme du monde traverse la foule pour nous rejoindre. Elle porte une robe bustier rouge cerise qui met parfaitement ses atouts en valeur. Elle s'arrête juste au-dessus du genou, révélant des jambes interminables. Ses cheveux noirs et épais ressemblent beaucoup aux miens, sauf que les siens forment des anglaises parfaites qui rebondissent sur la peau pâle de ses épaules. Cette femme est le fantasme de tous les hommes, et le cauchemar de toutes les femmes. Sauf le mien, parce que moi j'aimerais être elle.

– Gina, dit Wes en lui tendant la main. J'aimerais te présenter mon amie, Mia Saunders.

Elle écarquille les yeux et sourit lorsqu'il prononce le mot « amie ». Elle pose une main sur son épaule et le regarde en battant des cils, puis elle se tourne vers moi. Wes semble déjà envoûté, et moi aussi.

– Gina DeLuca, dit-elle en me tendant la main. Les amies de Wes sont mes amies, dit-elle d'une voix grave et sensuelle.

Nous nous serrons la main et elle se place devant moi, pressant sa poitrine sur le torse de Wes.

– J'ai vraiment hâte de commencer le tournage. L'histoire est fascinante, dit-elle en caressant son col.

Wes reste immobile, sans voix, dévisageant la belle tentatrice comme s'il était hypnotisé. J'ai presque l'impression d'interrompre un moment privé. En dépit de la promesse que je me suis faite, je sens que je commence à être jalouse. Certes, officiellement, je ne suis pas la copine de Wes, mais il me reste encore quelques jours avec lui, bon sang ! J'essaie de me racler la gorge, mais ni Gina ni Wes ne semblent remarquer mon existence.

– Tu sais, tu pourrais passer chez moi un de ces quatre pour mieux m'expliquer le personnage, dit-elle.

Soudain, je bous de rage – elle se prend pour qui, cette garce ?

– Euh, ouais, pourquoi pas, ce serait...

Je ne laisse pas Wes aller au bout de sa réponse, parce que j'en ai eu assez.

– Chéri, je meurs de faim. On passe à table ? je demande en battant des cils à mon tour, même si je suis sûre qu'ils n'ont pas le même effet que ceux de Gina.

Wes me regarde, secoue la tête et sourit. Ses yeux pétillent lorsqu'il passe son bras autour de moi et qu'il m'attire à lui.

– Je suis à tes ordres, Mia, dit-il en m'embrassant le front. Désolé, Gina, tu veux bien nous excuser ?

Je suis ravie de la voir bouche bée. Elle semble outrée que je lui aie cassé son coup – alors qu'en vérité, c'est elle qui a cassé le mien.

– Mia ? Comme dans le film ? demande-t-elle.

Wes me regarde en dégainant son sourire orgasmique, puis il répond.

– Oui, comme ça, je n'oublierai jamais ma nana, dit-il sans regarder Gina.

– L'oublier ? Pourquoi, tu vas où ? demande-t-elle en croisant les bras sur sa poitrine généreuse.

J'inspire lentement avant de répondre.

– Seattle, je réponds.

La grimace de Wes ne m'échappe pas.

– Ah bon ? Pourquoi ?

– Pour le travail.

Je n'ai rien de mieux à dire. C'est la vérité, et je ne peux pas dire à cette nana que je suis payée pour être là et que Wes peut baiser qui il veut.

– Ah ? Et tu fais quel genre de boulot ?

– Eh bien, pour celui-ci, je vais être modèle pour un artiste.

– Je vois, et... est-ce que tu seras habillée, pour cet artiste ? demande-t-elle en souriant faussement.

Elle est perspicace, cette garce.

– Je crois que ça suffit, Gina. On se voit la semaine prochaine. Viens Mia, allons chercher à manger, dit-il en me prenant par la hanche pour m'éloigner de l'actrice.

Nous nous installons à une table d'où la vue sur l'océan est encore plus belle. Un serveur nous apporte nos verres et nous sert deux assiettes de petits fours. J'ai à peine le temps de mettre un canapé dans ma bouche que Wes passe à l'attaque.

– Alors... Seattle ?

Je n'ai aucune envie d'avoir cette conversation et je me contente de hocher la tête.

– Et... est-ce que la supposition de Gina est juste ?

J'enfourne un second canapé dans ma bouche, me retenant de gémir tant l'explosion de saveurs est délicieuse.

– Est-ce qu'elle a raison, Mia ? Tu vas poser nue pour un artiste ?

Je hausse les épaules.

– La question est pourtant simple, dit-il en serrant les dents.

– Peut-être. Il peint des nus, donc c'est possible.

Il n'a pas besoin de savoir que j'ai déjà prévu de me mettre à poil.

Wes secoue la tête et boit une longue gorgée de bière.

– Putain, il me faut quelque chose de plus fort.

Il se lève et part d'un pas rapide vers le bar. Je recule dans ma chaise et je fais un point sur le déroulement de la soirée. J'ai été jalouse de lui, et maintenant il est jaloux d'un mec qu'aucun de nous n'a rencontré. Qu'est-ce qui se passe, bon sang ?

Il revient avec un verre plein d'un liquide ambré qui me file la nausée. Depuis le premier soir, il n'a plus bu de whisky, ce que j'apprécie énormément. Ce soir, il le boit comme du petit-lait.

– Pourquoi tu es en colère ?

Il secoue la tête.

– Je ne suis pas en colère, rétorque-il.

– Je sais quand tu es en colère, Wes. Ça fait presque un mois qu'on vit ensemble.

– Tu as vraiment envie de faire ce job ? demande-t-il enfin.

– Ce n'est pas une question d'envie. Je n'ai pas le choix ! je m'exclame.

Il regarde autour de nous pour s'assurer que personne ne nous écoute.

– Bien sûr que tu as le choix. On a toujours le choix. Tu pourrais très bien rester ici avec moi.

Et voilà, le pas est franchi. Il veut que je reste, alors qu'il sait que c'est impossible.

– Ne commence pas...

– Pourquoi pas ?! Parce que ça te forcera à ressentir quelque chose ? crache-t-il.

Je me lève et je m'éloigne à grandes enjambées. Wes ne me suit pas.

* * *

Je suis tirée d'un profond sommeil par un bruit de verre brisé. Je me lève et marche dans le couloir sur la pointe des pieds, sans bruit, jusqu'à ce que je trouve Wes, mort de rire, se débattant pour enlever sa veste.

Je vais à lui pour l'aider, ce qui est une mauvaise idée, car la veste n'a pas touché le sol qu'il me plaque contre le mur et qu'il se jette sur mon cou. Il me mord trop fort et je pousse un cri en le repoussant.

– Mia, Mia, Mia. J'ai trop besoin de toi. Je ne veux pas te perdre... S'il te plaît.

– Allez viens, je vais te mettre au lit, je dis en essayant de le soutenir.

Nous faisons quelques pas, puis il s'arrête et me serre dans ses bras en me plaquant contre un autre mur. Cette fois-ci, sa main s'empare de mon sein et je gémis quand il pince mon téton.

– Putain, j'adore les bruits que tu fais. Ça me rend tellement dur.

Il ne plaisante pas, car je sens son érection contre ma hanche. Je n'ai pas le temps de me dégager, car il me soulève dans ses bras, une main sous les genoux et l'autre autour de ma taille. Il a beau être ivre, il sait ce qu'il fait – il est simplement moins coordonné et plus brouillon.

– Wes, pas ici. Il faut que tu dormes.

– Tu peux venir avec moi ? supplie-t-il en me mordillant le cou. Reste avec moi dans mon lit.

– Oui, d'accord, on peut baiser dans ton lit cette fois-ci.

Dans sa chambre, il me tourne et m'empoigne par le bassin pour m'embrasser. Même avec un goût de whisky, je ne peux me passer de sa bouche.

– Non, je veux que tu dormes avec moi. Toute la nuit. Je veux me réveiller avec toi, dit-il en me tirant vers le lit.

Il s'assied, baisse ma culotte, enlève mon débardeur et me regarde, debout, nue devant lui.

– J'adore ton corps.

Sa main se promène sur ma clavicule puis sur mon sein, qu'il pince légèrement, sur ma taille, sur ma hanche et sur ma cuisse.

– Juste cette fois. Reste toute la nuit. Laisse-moi me réveiller avec toi.

Il se penche et prend un téton dans sa bouche. Des décharges électriques parcourent mon corps.

– Juste une fois, répète-t-il.

C'est la deuxième fois que nous faisons l'amour, mais cette fois-ci est teintée de désespoir. Au milieu de la nuit, Wes se réveille sobre et me prend de nouveau en me chuchotant qu'il veut tout refaire avec moi pour être sûr de ne jamais l'oublier.

* * *

Lorsque je me réveille, Wes me regarde dormir. Ses cheveux sont tombés sur son front et je lève une main pour les repousser, voulant voir tout son visage dans la lumière du matin.

– Pourquoi tu fais ce travail ? demande-t-il.

Sa voix est dénuée de jugement. C'est une simple question, comme s'il mourait d'envie de me la poser depuis que nous nous sommes rencontrés. Sans doute est-ce le cas.

Il mérite de savoir pourquoi je ne peux pas lui offrir davantage. Je sais qu'il veut que je reste, qu'il veut que je vive avec lui pour voir où cette histoire peut nous mener. Il sait que ça ne me dérange pas qu'il soit aussi occupé, et il m'a dit que c'est une des raisons pour lesquelles il ne veut pas de relation sérieuse. Je ne suis pas collante comme la plupart des femmes trophées et, justement, je n'ai pas envie d'être une simple femme trophée ni même une simple copine. J'ai besoin de tracer mon propre chemin et d'être indépendante.

Or, je ne le peux pas pour l'instant, parce que je dois aider mon père.

Au lieu d'effleurer la vérité ou d'inventer quelque chose, je lui explique la situation telle qu'elle est.

– Mon père doit de l'argent à des types très dangereux. Beaucoup d'argent.

– J'ai beaucoup d'argent, dit-il doucement.

J'ai les larmes aux yeux lorsque je me tourne vers lui.

– Oui, c'est vrai, mais c'est ton argent. Mon père s'est endetté auprès d'usuriers parce qu'il ne peut pas s'empêcher de jouer dans des casinos et de parier. Je travaille pour rembourser sa dette.

– Combien ?

– Un million.

Il expire lentement.

– J'ai vraiment beaucoup d'argent, Mia. Je peux t'aider.

Je secoue la tête. Je savais qu'un mec aussi généreux que Wes voudrait aider ma famille, seulement ce sont mes problèmes, pas les siens.

– Je sais que tu peux m'aider, mais je ne te l'ai pas demandé.

Il est crucial qu'il comprenne que c'est ma décision. Je ne suis pas une demoiselle en détresse et il n'est pas mon chevalier en armure. Les contes de fées n'existent pas, surtout pour les nanas de Las Vegas avec un bagage émotionnel aussi lourd que le mien.

– Et si je te dis que j'ai quand même envie de t'aider ?

– Tu es très gentil, Wes.

Il secoue de nouveau la tête et s'allonge sur le dos.

– Non, Mia, je ne le suis pas. Je suis égoïste. Je ne veux pas que tu partes et que tu poses pour un artiste plein aux as à Seattle. Je te veux *ici*, avec moi, dans ma maison et dans mon lit. Je paierais n'importe quoi pour avoir ça.

J'en ai le souffle coupé et je mets un moment à parler.

– Est-ce que tu m'aimes, Wes ?

Il plonge son regard dans le mien.

– Euh... Je sais que je t'apprécie – énormément, même.

Je souris et je promène mon doigt, du haut de son front à son menton.

– Je t'apprécie énormément, moi aussi. Vraiment. Mais c'est quelque chose que je dois faire. Pas seulement pour mon père – même si c'est la raison principale – mais pour moi, aussi. Et toi, tu dois te concentrer. Le tournage de ton film commence la semaine prochaine. Tu vas diriger des scènes pour la première fois...

Wes passe sa main dans mes cheveux.

– Je sais tout ça. Ça ne change pas le fait que je te veux avec moi.

– Je sais, je comprends. Pour être honnête, je n'ai pas envie de partir, mais c'est ce qui va se passer. Et on va rester amis, toi et moi, n'est-ce pas ?

Il soupire et me tire pour m'étendre sur lui. J'appuie mes bras sur son torse et mon menton sur son sternum.

– Bien sûr. Tu es le meilleur pote que j'aie eu de toute ma vie.

Je hausse les sourcils.

– Je veux dire que tu es la meilleure amie fille que j'aie eue.

– Je comprends, je réponds en lui faisant un baiser sur la bouche.

– Alors, tu pars dans deux jours, et je ne peux rien faire pour te faire changer d'avis ?

Je secoue la tête et pose mon oreille contre son cœur, écoutant ses battements lents. Au fond de moi, je sais que la seule raison qui pourrait me faire envisager de rester serait qu'il m'aime. Je ne peux pas nier que j'ai des sentiments pour lui et que je me retiens parce que l'amour n'est pas une possibilité – pas après que je suis tombée amoureuse de tous les hommes avec qui j'ai couché. Cette fois-ci, avec Wes, je me suis protégée de manière si féroce qu'il n'a eu que des petits bouts de mon cœur.

– Qu'est-ce que ça veut dire, pour nous ? demande-t-il en empoignant mes fesses.

Bon sang, son talent au pieu va vraiment me manquer. Mon vibromasseur va me paraître sacrément ennuyeux, à présent.

– Et si on se contentait de dire que nous sommes amis ?

Il grimace.

– Meilleurs amis ? ajoute-t-il.

Il me soulève par la taille pour me placer au-dessus de son érection et je descends lentement, enfonçant toute sa longueur en moi. Ce mec est foutrement bien gaulé – et il sait se servir de ce que la nature lui a donné.

– Des meilleurs amis qui se veulent du bien, je dis en mettant un coup de bassin et en penchant ma tête en arrière.

Je pose mes mains sur ses pectoraux musclés et je contracte les muscles de mon sexe.

– Ça me va, dit-il en me soulevant pour me renfoncer sur lui.

Nous crions tous les deux à l'unisson.

– Maintenant, chevauche-moi, ajoute-t-il.

CHAPITRE 9

— Qu'est-ce que tu veux faire aujourd'hui ? demande Wes lorsque j'entre dans la cuisine.

Je suis surprise de constater que c'est lui qui fait à manger.

– Où est Judi ? je demande.

– Je lui ai donné sa journée. Je voulais être seul avec toi pour ton dernier jour, répond-il avec un sourire et un clin d'œil.

Je m'assieds au bar où il finit de préparer notre petit déjeuner. J'ouvre grand les yeux en regardant la pile de pancakes dégoulinante de beurre et de sirop d'érable. Il termine le tout par une dose de chantilly, et lorsqu'il pousse l'assiette vers moi, je découvre qu'il a dessiné un sourire sur le premier pancake.

– Ce sont des happy cakes, annonce-t-il en jouant des sourcils.

Cet homme est plein de surprises – c'est un surfeur, un acharné du travail, qui loue des escorts et conduit une Jeep, qui est plein aux as et qui fait des pancakes avec des *smiley* dessus.

– Quoi ? dit-il en penchant la tête sur le côté.

Ses joues sont couvertes de cette petite barbe du matin à laquelle je me suis habituée et que j'adore. Je secoue la tête en coupant une part dans la pile des cinq pancakes.

– Tu me déconcertes, c'est tout. Chaque fois que je pense t'avoir cerné, tu révèles un autre aspect de ta personnalité.

Wes hoche la tête et entame son petit déjeuner.

– Que dire ? J'aime te surprendre, déclare-t-il en souriant.

– C'est réussi. Mais revenons-en à ta question, dis-je la bouche pleine des meilleurs pancakes au monde. Aujourd'hui, j'aimerais faire un tour à moto.

Il hoche la tête.

– Ça me va, où va-t-on ?

Je souris en rejetant mes cheveux par-dessus mon épaule.

– Nous irons là où nous guide la moto. Ce n'est pas la destination qui compte, c'est la route.

Wes fait le tour du bar, s'assied à côté de moi et me regarde. Je me tourne vers lui, pensant qu'il veut m'embrasser, car d'habitude c'est la première chose qu'il fait le matin. Or, aujourd'hui n'est pas une journée ordinaire. Tout semble pesant, écrasé par mon départ imminent. Au lieu de m'embrasser, Wes dépose une goutte de chantilly sur mon nez.

– Waouh, quelle philosophe ! dit-il en se moquant de moi.

– Tais-toi ! je m'exclame en le poussant.

– Attends, Mia. *Ce n'est pas la destination, c'est la route* ? Tu sors ça d'où ? Dis-moi la vérité, c'était écrit sur un autocollant quand tu as acheté la moto, n'est-ce pas ?

– Mais c'est vrai !

Je secoue la tête et recommence à manger. De temps en temps, il me met un coup de coude dans les côtes pour me faire savoir qu'il me chambre. Bon sang, ce beau gosse va me manquer – plus que je n'ai envie de l'admettre.

Beaucoup plus.

* * *

– Hey ! siffle Wes lorsque j'entre dans le garage où est garée ma moto.

Il ne parle pas de Suzi, mais de moi. Il me mate des pieds à la tête, depuis mes cuissardes à ma veste en cuir noir en passant par mon jean slim et mon t-shirt Radiohead.

– Ça te plaît ? je demande en me déhanchant, consciente que ça accentue mes courbes.

Car je sais que mes courbes lui plaisent. Il m'a dit des tonnes de fois qu'il était amoureux de mon corps. Il aime les femmes avec des formes – pas les brindilles avec un corps d'enfant.

Il pourrait me mentir, bien sûr, mais à en juger à l'expression sur son visage, je ne pense pas que ce soit le cas.

Il jette son blouson en cuir sur le siège de la moto, fait le tour de la Jeep et prend possession de ma bouche. Pour Wes, un baiser n'est pas un simple préliminaire. C'est un moyen de me marquer à vif, de laisser son goût dans ma bouche afin que je l'emporte avec moi toute la journée. Je n'oublierai pas un seul de ses baisers, tant ils sont délicieux. Il alterne entre de petits mordillements et de longs coups de langue. Quant à ses mains, elles sont magiques. Il sait toujours où caresser, quand pincer, quand chatouiller. Sa main est sur mes fesses tandis que l'autre est sur mon sein, il les malaxe avec une expertise exquise.

Je suce sa langue, puis je mords sa lèvre jusqu'à ce qu'il gémisse. Il rompt le baiser et appuie son front sur le mien.

– Je croyais qu'on allait faire un tour, je chuchote contre ses lèvres.

– Ouais, ça, c'était avant que je te voie comme ça. Maintenant, ma bite a d'autres idées.

Il avance son bassin contre le mien pour me faire sentir son érection. Cependant, je parviens

– non sans efforts – à reculer. Je pose mes mains sur ses joues et je plonge mon regard dans le sien.

– Plus tard. L'attente rendra ça meilleur, dis-je avant de mordre sa lèvre une dernière fois.

Je retourne auprès de Suzi et monte dessus.

– Salut ma belle, dis-je en tapotant son réservoir. Tu es prête à montrer à Wes ce dont tu es capable ?

– Euh, je pense que tu dois reculer pour que je puisse monter, dit Wes.

– J'ai du mal comprendre. Tu suggères que je m'asseye à l'arrière ? je demande en haussant les sourcils.

Wes pose une main sur le guidon et l'autre sur sa hanche.

– Si ça implique que tes cuisses serrent mes fesses et que je sente tes seins dans mon dos, alors oui, c'est ce que je suggère, dit-il.

– Dans ce cas, nous avons un problème, parce que Suzi est ma nana, et il n'y a que moi qui la conduise. Donc, mon ami, ce sont tes cuisses qui vont serrer mes fesses, j'annonce en avançant pour lui faire de la place. À moins que tu craignes d'endommager ta virilité ?

Wes me surprend en enfilant son blouson et en jetant sa jambe par-dessus Suzi sans broncher. Cela dit, c'est parce qu'il a une idée en tête. Il a décidé de me faire vibrer avant même que je n'aie démarré Suzi. Il se plaque contre moi, glisse une main sous mon mon t-shirt, dégage mon soutif et s'empare de mon sein. Il le tire et le titille jusqu'à ce que mon téton soit dur, et je gémis lorsqu'il lèche mon cou. Je me cambre et j'appuie ma tête sur son épaule, reculant mes fesses contre son érection. Je tourne la tête pour l'embrasser alors que ma braguette s'ouvre et que sa main glisse dans mon string.

– Mon Dieu, je chuchote lorsqu'il plonge deux doigts en moi.

Ses doigts me fouillent tandis que son pouce titille mon clitoris. Il me cambre contre lui, plongeant plus profondément en moi, continuant à m'explorer en me mordant le cou. Je lève mon bassin, me frottant contre ses doigts pour atteindre l'orgasme.

– C'est ça, Bébé, chuchote-t-il contre ma tempe.

Sa voix rauque m'excite encore plus et mon bassin accélère ses allers-retours, forçant ses doigts à me baiser. Son autre main pince mon téton tandis qu'avec l'autre, il frotte mon clitoris tout en me fouillant, pliant ses doigts pour former un crochet et me faire atteindre le sommet de mon orgasme.

Putain.

Douce folie.

– C'est ça, Chérie, reviens-moi, chuchote Wes alors que son pouce continue d'encercler mon clitoris, déclenchant des décharges de plaisir dans tout mon corps, accompagnant mon retour sur terre.

Je retire ce que j'ai dit, chuchote-t-il avant de m'embrasser dans le cou.

– Qu'est-ce que t'as dit ?

– La destination était sympa, mais c'est la route qui a compté. Te regarder perdre la tête comme ça, dans mes bras et sur cette moto, c'est quelque chose que je n'oublierai jamais.

Moi non plus.

* * *

Nous empruntons la Highway One[3] pour admirer les innombrables points de vue sur l'océan. Au détour d'un virage, Wes désigne un panneau délavé indiquant une plage, et j'avance dans le chemin cabossé, m'arrêtant à un minuscule sentier qui mène à une petite crique. Sur la plage, Wes enlève son sac à dos et en sort une fine couverture. Il s'assied face à l'océan, et son regard se perd au loin. C'est une plage publique, or nous sommes seuls – il semble n'y avoir personne à des kilomètres à la ronde. Wes fouille dans son sac et en extrait des sandwichs.

– Tu as préparé un pique-nique aussi ? D'abord, les pancakes et maintenant ça ? Laisse-moi deviner, c'est de la dinde label rouge avec du houmous maison et des légumes frais ?

---

3. Route célèbre de Californie qui longe la côte pacifique.

Il se couvre la bouche pour sourire en retroussant son nez.

– Perdu, Princesse, dit-il en me tendant la moitié d'un sandwich.

– Du beurre de cacahuète et de la confiture ? dis-je en ouvrant le sandwich et en secouant la tête.

Je mords dedans et découvre le parfait ratio beurre de cacahuète/confiture. Il sourit en me tendant un thermos, que j'ouvre pour boire, surprise d'y trouver du lait.

– Du lait ?

– Je voulais te donner le meilleur, Miss Mia, dit-il en reprenant le thermos pour boire à son tour.

– Tu savais que les sandwichs confiture-beurre de cacahuète étaient mes préférés ?

Il écarquille les yeux.

– C'est vrai, je suis sérieuse – j'adore. Et tu sais quoi ? J'adore ça. Être assise ici avec toi après une virée à moto. C'est... eh bien... je ne l'oublierai pas, Wes. Ce mois avec toi a été le plus beau de ma vie. Et je ne parle pas seulement du sexe.

Il hausse les sourcils.

– Ok, je parle du sexe, j'ajoute, et nous éclatons tous les deux de rire.

Il reprend une gorgée de lait avant de répondre.

– Je vois ce que tu veux dire. J'ai l'impression qu'avec toi, tout est facile.

Je penche la tête sur le côté et il sourit.

– Mais non... Je ne dis pas que tu es facile, je dis que les choses sont agréables. Tu ne m'as pas fait tourner en bourrique. Tes envies sont simples et tu ne fais pas dans le mélodrame. Je ne pensais pas qu'un couple pouvait être comme ça.

– Je n'ai jamais connu ça moi non plus. Il y avait toujours quelque chose pour gâcher l'histoire.

Wes regarde au loin et j'en profite pour admirer son profil. Sur l'échelle des beaux gosses, Weston Channing est au sommet. Il est sexy sans effort – c'est naturel, tout simplement. Il est détendu et élégant, même au saut du lit. Et là, maintenant, sur cette plage abandonnée, alors qu'il se confie à moi... il est irrésistible.

– Est-ce que tu as déjà été amoureux ?

Il tourne brusquement la tête vers moi en souriant légèrement. Il s'allonge sur le dos en se redressant sur ses coudes, et il secoue la tête.

– Non, je ne crois pas. J'ai cru l'être, une ou deux fois, mais comme je l'ai dit, les choses n'étaient jamais simples. Je crois que lorsqu'on aime quelqu'un, c'est censé être facile. Les choses doivent trouver leur place naturellement, sans forcer, non ?

Je hoche la tête.

– Les planètes, les lunes et les étoiles s'alignent et tout fonctionne, c'est ça ? je réponds en souriant.

– Quelque chose comme ça, ouais, dit-il en riant. Et toi ?

– Moi quoi ?

– Tu as déjà été amoureuse ?

Je réfléchis si longtemps à ma réponse qu'il pose sa main sur mon épaule et la serre délicatement.

– Tu n'es pas obligée de me le dire, ne t'en fais pas.

– Non, ce n'est pas ça. C'est juste qu'il serait plus simple de me demander s'il m'est arrivé de ne pas tomber amoureuse. D'une certaine manière, je suis tombée amoureuse de tous les hommes avec qui j'ai été. Hélas, ici, avec toi, je me demande si j'étais vraiment amoureuse ou si j'étais simplement... accablée par leur présence.

– Qu'est-ce qui te fait dire ça ?

Je plie mes jambes pour ramener mes genoux sous mon menton.

– Je ne sais pas. C'est différent avec toi.

– Donc, pour résumer, ça fait un mois que tu es avec moi, tu as admis que le sexe était le meilleur de toute ta vie...

Je lève les yeux au ciel, mais il poursuit.

– ... tu as admis que c'était différent avec moi... est-ce que ça veut dire que tu m'aimes ?

– Peut-être.

Je ne connais vraiment pas la réponse à sa question.

– Eh ben, waouh.

Il se tourne sur le côté et s'accoude pour appuyer sa tête dans sa main.

– Et si je te dis que je suis en train de tomber amoureux de toi ?

– Wes...

Il sait qu'il ne vaut mieux pas s'aventurer dans cette direction.

– Je suis sérieux, parlons-en une minute.

Il me force à m'allonger et à imiter sa pose afin que nous nous regardions dans les yeux.

– Tu m'aimes peut-être, et moi je tombe amoureux de toi. Tu ne crois pas qu'on devrait agir ?

– C'est le cas, je réponds en souriant. Nous allons rester amis. Tu vas travailler et tourner ton film. Nous allons rester en contact, et quand j'aurai remboursé ma dette...

Je plonge mon regard dans le sien et je me tais.

– Quand tu auras remboursé ta dette... quoi ?

– Je reviendrai à Los Angeles. Là où tu vis.

– Mais tu vas quand même partir demain, dit-il, et son regard s'emplit de tristesse.

– Oui. Je pars demain.

Il hoche la tête et baisse les yeux.

– Donc, quand tu reviendras...

Cette fois-ci, c'est lui qui ne termine pas sa phrase.

– Je ne veux pas que tu m'attendes, Wes. Si tu rencontres quelqu'un avec qui tu te sens bien, profites-en. Fonce et amuse-toi. Un homme avec ton charisme n'aura aucun mal à trouver quelqu'un pour réchauffer son lit.

– C'est ce que tu vas faire ? Laisser tes clients réchauffer ton lit ? demande-t-il d'une voix froide à laquelle je ne m'attendais pas.

Je savais que cette conversation était risquée. Elle pourrait ruiner tout ce que nous avons construit durant ce mois, et tout ce que nous pourrions construire à l'avenir.

– Je dis simplement que pour l'année qui vient, chacun doit tracer son chemin. Chacun doit faire ce qui lui fait envie.

Il soupire lentement et se rassied.

– Ça veut dire que tu ne vas pas m'attendre.

– Non, je réponds en secouant la tête. Je vais faire ce qui me semble bien sur le moment, ce qui est bien pour moi. Et je veux que tu fasses la même chose, même si je ne veux pas te perdre.

Il prend ma main pour l'embrasser.

– Je ne veux pas te perdre non plus. C'est juste que… j'essaie de me convaincre que j'ai raison de te laisser partir. Parce que ça me semble être une connerie.

Il serre plus fort ma main, et cette fois-ci c'est moi qui embrasse la sienne.

– Pour moi aussi, mais c'est ce qui va se passer, et j'ai besoin que tu le respectes. Tu peux faire ça pour moi ? Nous verrons où nous en sommes plus tard. Pour l'instant, ça doit suffire.

– C'est loin d'être suffisant, Mia. Mais si c'est tout ce que j'ai, alors je m'en contenterai.

Il m'attire à lui et me serre dans ses bras. Je m'accroche à lui, consciente qu'il me faudra bientôt le lâcher.

* * *

Toutes mes affaires sont dans le quatre-quatre que je regarde partir en direction de chez moi. Le chauffeur a ma clé, et il va tout déposer chez moi avant de laisser ma clé chez le concierge.

Wes s'attend à ce que nous dînions ensemble une dernière fois, ce soir. Hélas, je n'en ai pas la force. Lorsque nous sommes rentrés de la plage, hier, nous avons passé l'après-midi et la soirée à faire l'amour, encore et encore, jusqu'à ce que nous soyons épuisés et que nous nous effondrions, blottis l'un contre l'autre dans son énorme lit. Il m'a dit qu'il rentrait à dix-huit heures pour m'emmener au restaurant, mais je ne serai plus là. Je ne peux pas lui dire adieu après tout ce que nous avons vécu ensemble.

C'est peut-être cliché, mais j'ai préféré coucher ce que je ressens sur le papier.

Weston Charles Channing III,

Je me fends la poire en écrivant ton nom. Tu l'as déjà dit à voix haute ? Fais-le pour moi. C'est drôle, tu vas rire. En tout cas, moi j'ai ri. ☺

Plus sérieusement, je veux te dire merci. Je m'attendais à détester chaque seconde de ce boulot, or c'est la chose la plus exaltante que j'ai faite de toute ma vie. Te rencontrer a été un cadeau. Tu es un cadeau, Wes. Je sais que c'est naze, dit comme ça, et j'ai failli le rayer, mais tu dois l'entendre de la bouche de quelqu'un qui tient à toi. Et je tiens à toi, Wes. Beaucoup. Plus que je ne le devrais.

Être avec toi, passer du temps à tes côtés, m'a transformée. Pour le mieux, je crois. À présent, j'ai l'impression que je peux endurer cette année tout en apprenant quelque chose. Je vais sauver mon père, certes, mais je vais me sauver également. Il est temps que je vive pour moi. Si je restais chez toi et que je te laissais résoudre mes problèmes en remboursant la dette de mon père, je le regretterais jusqu'à la fin de mes jours. J'aurais toujours ça en tête et ça pèserait sur notre relation. En partant, je pars parce que je l'ai décidé, et je pars alors que nous sommes de bons amis. Des meilleurs amis. Des meilleurs amis qui se font du bien.

Suis-je triste de partir ? Bien sûr. Je n'en ai pas envie, mais tu le sais déjà. Je sais que ce que je fais est horrible pour nous deux, mais je sais également que c'est la seule façon que j'ai d'être vraiment libre. Quelle est cette expression déjà ? « Si tu aimes une personne, laisse-la partir, si elle ne revient pas, il n'y avait aucune raison qu'elle reste avec toi. »

J'espère revenir un jour. Si c'est dans les cartes, alors je reviendrai, n'est-ce pas ? Sinon, nous aurons toujours un ami sur qui compter. J'espère sincèrement que tu le comprends. Je te souhaite le meilleur, Wes. Tout le monde va adorer ton film, parce que c'est toi qui l'as écrit et que tes paroles sont magnifiques.

Ce matin, quand tu pensais que je dormais, tu m'as embrassée et tu m'as dit : « Ne m'oublie pas. » Wes, je te le promets, je n'oublierai jamais le temps que nous avons passé ensemble, et surtout, je ne t'oublierai jamais, toi.

De tout mon cœur,
Mia

J'embrasse la lettre à côté de mon nom, laissant la trace rose bonbon de mes lèvres. Un dernier baiser pour Wes.

* * *

Les deux jours qui suivent sont un cauchemar de rendez-vous organisés par ma tante pour me préparer à rencontrer l'artiste Alec Dubois. Les rendez-vous chez le coiffeur et pour ma manucure-pédicure sont plutôt agréables, même si je les trouve ennuyeux à mourir. J'aime être chouchoutée comme toutes les filles, mais accorder des heures à mes cheveux et à mes ongles de mains et de pieds me paraît tout simplement ridicule. Or, ce n'était pas le pire, car après ça, Millie m'a envoyée chez l'esthéticienne.

Autant dire chez le bourreau Elle commence avec un masque apaisant pour le visage, elle berce mes sens avec des parfums sublimes, de la musique relaxante et un massage facial. Puis elle sort le gros néon aveuglant. Le choix s'impose entre fermer les yeux et perdre la rétine. J'ai bien fait de fermer les yeux, car je découvre que c'est le moment où elle dégaine « l'extracteur », une machine qui racle la peau pour en sortir tous les points noirs et déboucher les pores. C'est barbare. Cependant, je sors de là avec une peau lumineuse et parfaite, douce comme les fesses d'un bébé.

Ensuite, ma journée continue pour le pire, car je dois me faire épiler. Partout. L'artiste a des exigences très spécifiques. Si je me déshabille – et qu'il lâche vingt-cinq mille dollars –, je ne peux avoir de poil nulle part. Heureusement, j'ai le droit de garder le duvet sur mes bras. Quant au reste, bye bye. Je n'avais jamais eu droit à une épilation intégrale. D'abord, l'esthéticienne – cette sadique – couvre chaque millimètre de mes parties intimes avec de la cire brûlante. Lorsqu'elle refroidit et qu'elle durcit, elle appuie sur ma peau pour arracher tous mes pauvres petits poils, me laissant davantage comme une petite fille que comme une femme.

C'est déprimant, et je ne comprends pas pourquoi des femmes font ça volontairement si elles ne sont pas payées une fortune. Je sais ce que j'y gagne, moi – c'est quoi leur excuse, à elles ?

* * *

Les gens finissent de s'installer avant le décollage lorsque mon téléphone sonne dans la poche arrière de mon jean.

De : Wes Channing
Pour : Mia Saunders
J'ai eu ta lettre. Désolé de ne pas t'avoir écrit avant, j'ai pensé qu'il valait mieux nous laisser du temps. Je veux te souhaiter un bon voyage. Il y a quelque chose dans la poche avant de ton sac. Je t'appelle bientôt. Ne m'oublie pas.

Je sors mon sac de sous le siège avant en souriant. Je trouve une petite boîte noire que je n'avais pas remarquée. Lorsque je l'ouvre, je souris si largement que j'en ai mal aux joues. La boîte renferme une petite clé en bronze attachée à une minuscule planche de surf jaune. C'est la clé dont je me servais lorsque j'étais chez Wes. Ma clé. Il y a autre chose suspendu au porte-clés, à présent. Un petit cœur rouge à paillettes.

Au fond de la boîte, je trouve un mot plié en quatre.

Mia,
Tu as oublié ta clé. Elle n'ouvre pas qu'une simple porte. J'espère qu'un jour tu t'en serviras.
Wes

J'attrape les clés de Suzi et de mon appartement, et j'y attache la clé de Wes. Son message est on ne peut plus clair. Si je reviens à lui, je dois être prête à lui offrir mon cœur, car il m'a déjà donné le sien.

FIN

RETROUVEZ MIA
TOUT AU LONG DE L'ANNÉE !

Suivez Mia tout au long de l'année sur Twitter
@MiaCalendarGirl

Suivez toute l'actualité de la série
sur Facebook et sur le site web
www.calendargirl-serie.com